JN011844

ゲンロン叢書｜007
哲学の
誤配
HIROKI AZUMA
東浩紀
genron

哲学の誤配

目次

はじめに

東浩紀

本書は、二〇一二年六月一一日と二〇一八年一月一〇日に、『一般意志2・0』と『ゲンロン0 観光客の哲学』の韓国語版訳者・安天(アンチョン)氏によっておこなわれたふたつのインタビューをまとめてつくられた書物である。韓国語版と日本語版がほぼ同時に刊行されている。韓国語版は、ソウルの出版社・ブックノマドから、『哲学の態度』という題名で二〇二〇年二月に刊行された。

ふたつのインタビューは、韓国の読者のためにおこなわれたものである。二〇一二年のものは、同年刊行された『一般意志2・0』韓国語版（現実文化研究社）の巻末に付録として収録されたのち、韓国のネットサイトで公開された［★1］。二〇一八年のものは、『観光客の哲学』の韓国語版（リシオル社）出版にあわせて公開されるとのことで、同書の紹介のためおこなわれた。こちらは作業が遅れていまだ刊行されていないため、本書での公開がさきとなる。

★1 当該のサイトは以下のURLから読むことができる。URL = https://blog.aladin.co.kr/bookeditor/5697116

本書の韓国語版には、それらのインタビューに加えて、一九八七年生まれの若き批評家、パク・カブン氏による解説が収録されている。あくまでも韓国の読者にむけて書かれたものだが、本書成立の背景を知るのに役立つと考え、この日本語版にも収めた。パク・カブン氏については、ぼくが編集長を務める『ゲンロン3』で論文を訳出しているので、そちらも参照されたい。ぼくは二〇一七年にソウルでお会いしたことがある。才気溢れる青年だった。なお、韓国語版には安天氏による見開きの短い導入も掲載されていたが、そちらは日本の読者には不要と考え割愛した。かわりに安天氏には、日本語版刊行にあたり長めの文章を寄せてもらっている。

本書のなりたちはいささか複雑である。インタビューはどちらも日本語でおこなわれた。けれども韓国での出版が前提だったため、原稿はどちらも韓国語でつくられた。安天氏は著者確認のためにそれをふたたび日本語に戻し、ぼくはそこに赤字を入れた。韓国語版はそれを反映して出版されている。さらに加えて、この日本語版制作にあたっては、翻訳を繰り返したがゆえの生硬さをつぶし、会話として自然なものにするために、あらたに相当の赤字を入れた［★2］。したがって本書の韓国語版と日本語版は、大意には変更がないものの、必ずしも表現が完全に対応しているわけではない。前者が後者の韓国語訳なわけではなく、後者が前者の日本語訳なわけでもない。強いていえば、両者はどちらもオリジナルである。

なお、ゲンロンから出版されるこの日本語版には、付録として、二〇一九年一一月一〇日に中国の杭州でおこなわれた講演「データベース的動物は政治的動物になりうるか」の草稿を収めた。上述のふたつのインタビュー、そしてパク・カブン氏の解説で主題となっているぼくなりの「政治」「公共性」観について、ポストモダン論から補強する内容になっていると考えたからである。

この原稿のなりたちも、ふたつのインタビューに劣らず複雑である。講演は中国美術学院で、ジャン＝フランソワ・リオタールの記念碑的な著作、『ポスト・モダンの条件』の出版から四〇周年を記念して開催されたシンポジウム「ポストモダンとその後?」の一部としておこなわれた。講演は英語でおこなうことを求められたが、ぼくはまず草稿を日本語で書いた。ここに収録したものはその草稿だが、じっさいに読みあげられたものはそれを英訳したもので、翻訳の過程で修正が加わっている。さらに現場では時間の関係で一部を省略し

★2　パク・カブン氏の解説に引用されているぼくの発言が、該当ページでの発言と微妙に異なるのはこの追加赤字のためである。出版にあたり統一することも考えたが、氏が参照しているのはあくまでも「韓国語版というオリジナル」だと考え、本書ではあえて異なるままで掲載している。

ため、内容的にも相違がある。今後英語版の記録が出版されるかもしれないが、こちらについても、強いていえば、英語版と日本語版はどちらもオリジナルである。

前述のように、本書は韓国語では『哲学の態度』という題名で出版された。これは刊行直前に差しかえられたもので、もともとは『哲学の義務』という題で企画されていた。両者ともに悪くない題名だが、日本語版は『哲学の誤配』と題を改めた。哲学の義務とはつまりは哲学を「誤配」することだと、そして本書そのものがそんな「誤配」の結果として生まれたものだと、そのように考えたからである。

ぼくはいま四八歳で、四半世紀以上も書く仕事を続けている。だから、自分の文章がどのような読者に好かれ、どのような読者に嫌われるのか、だいたい予想ができてしまう。その予測はほとんど外れないし、それにしたがえば一定の評価は得られる。それがプロということだが、同時にそれはとても不自由で、息苦しい経験でもある。ぼくはあるときから、その限界を強く意識するようになった。

翻訳は、まさにその息苦しさから著者を解放してくれる。ぼくは韓国語は読めない。書評もSNSの反応も読むことができない。だから、自分の文章が韓国でどのような読者に届き、どのような読者に支持されるのか、ほとんど予測できない。日本との類推で臆測をめぐらせることはできるが、それに確信をもつことはできない。つまりは、ぼくは本書の韓国語版については、正しい宛先＝読者を思い浮かべることなく、一方的に発送する＝市場に送り出すしかないのだ。それはたいへん不安な経験である。しかし同時にとても自由な経験でもある。

ぼくの仕事は日本国外ではまだあまり知られていない。知られていたとしても、本書でなんどか話題になっているとおり、「サブカルチャー批評」の書き手としての受容でしかない。本書はそのような「誤解」を解くために編まれたインタビュー集でもあるが、しかしじつのところ、ぼくはその理解が「正される」ことをそれほど望んでいない。正しい宛先＝読者こそが、著者から自由を奪うものだからである。韓国で、あるいは中国で、ぼくの文章がいつまでも「サブカルチャー批評」として読まれ、日本では届かなくなってしまった人々に届き続けているのだとしたら、それはそれですばらしいことだと最近のぼくは感じている。

翻訳はつねに誤配である。それは誤訳や誤解とは異なる。翻訳は宛先の顔を見えなくする。自由はその盲目から生まれる。

だから誤配とは自由のことである。そして、ぼくがこの本のなかで繰り返し主張しているのは、政治や公共性の感覚もまた、ほんらいはそのような誤配＝自由のうえでしか育たないということである。二〇二〇年の世界は、政治的に正しい、リベラルで左翼の良心的な知識人に溢れている。けれどもほんとうは、正しい宛先にむけて正しく言葉を伝えることは、政治的でも公共的でもないのだ。

ぼくは、本書の版元であるゲンロンを二〇一〇年の四月に創業した。本書は、その一〇周年を記念し、『新対話篇』と題する対談集と同時に出版されたものである。

最後に謝辞を。本書の訳者でありインタビュアーでもある安天氏は、ぼくの仕事を韓国に積極的に紹介してくれている貴重な理解者である。本書の企画は、ブックノマド社が安天氏に提案し、氏がゲンロンと先方をつないでくれたことによって始まった。翻訳だけでなく、交渉の労にもあらためて感謝したい。

安天氏に出会ったのは、ぼくの記憶にまちがいがなければ、もう一〇年近くまえ、妻子を連れて出かけた休日の海辺の美術館で、同じように家族連れで来ていた氏にいきなり声をかけられたことがきっかけである。氏はぼくの読者で、ぼくはその場で氏のツイッターのアカウントを尋ね、そこから交流が始まった。その後、ゲンロンの出版物にも原稿を寄せてもらった。出会いは、とても気持ちのいい、晴れた初夏の午後のできごとで、ぼくはそのときに見た空と海の青色を妙に鮮明に覚えている。

一〇年まえのＳＮＳは、まだそのような誤配に満ちていた。

二〇二〇年二月一日

第1の対話

批評から政治思想へ

聞き手＝安天

2012年6月11日

1 「近代以外」の思想

——東さんはいままで一貫して、モダン（近代）とポストモダン（脱近代）という、ふたつの異質なメカニズムが独自の存在理由をもって共存する社会として、現代社会を捉えてこられました。モダンとポストモダンのちがいに関心をもちつづける理由はなんでしょう。

日本社会は西洋型の近代社会モデルを適用しにくく、近代を基準に考えるのは限界があります。これをプレモダン（前近代）がまだ残っていると見るか、それとも西洋型近代モデルが限界を迎えたときに日本がいち早くポストモダン社会に移行できたと見るかは、ひとによって立場が分かれるところですが、いずれにせよ「近代」と「近代以外」との相克、あるいは衝突というかたちで見ないと、日本社会について深く考えることはできないと思います。ですから、モダンとポストモダンの関係に注意を払ってきました。

たとえば文学についていていえば、近代文学という枠組みでは日本の文学のごく一部しか分析することができません。日本の文学全体のマーケットからすれば、私小説に代表される純文学あるいは近代文学はごく一部にすぎないからです。日本で文学全体を視野に入れようとすれば、近代文学以外の形態が入ってこざるをえない。たとえばライトノベルは、プレモダンな伝統とポストモダンなメディアミックス戦略が結合したところから出てきた、いわばモダンを迂回してしまった文学形態だといえます。この国に住んでいると、自然とそのような問題意識をもたざるをえないのです。

――東さんのお仕事を振り返ると、現代思想、サブカルチャー、情報環境の変化など、ポストモダン現象がとりわけ顕著に現れる領域に注目し、諸々の現象を言語化・可視化する理論的な枠組みの構築に力を注いでこられたように思います。

「存在論的脱構築／郵便的脱構築」の区分（『存在論的、郵便的』）、データベースにもとづくサブカルチャーにおける「想像力の環境」の変化（『動物化するポストモダン』『ゲーム的リアリズムの誕生』）、近代の「規律訓練型権力」とは異なる作動原理をもつ「環境管理型権力」の概念化（「情報自由論」）などがその成果です。

近代的なものは、人間意識の再帰的な自己構成・修正能力に対する信頼をその基盤にしています。けれども、東さんはポストモダンを形象化していくなかで、むしろ、意識がその外部で作動している諸環境によって強く制約を受けている現実に光をあて、それら諸環境のメカニズムを浮き彫りにすることのほうに重点を置いてきました。意識の自己陶冶よりも「意識外部の環境」に注目するのはなぜでしょう。

ぼくにとってはそちらのほうが重要に見えるから、としかいいようがありません。この世界がほんとうに近代的主体性、つまり再帰的な自意識をもった人々によって動かされているかといえば、ぼくにはそのようには思えない。だから、ぼくとしてはなぜ意識の外部に注目しないのかがわからない。

いわゆる現代思想、つまり二〇世紀後半のフランス系の思想家たちは、文学の「限界」や主体の「限界」に関して論じるのが好きですね。彼らは、近代的主体が「限界」にたどり着いたところで、そこに主体の外部が立ち現れるというかたちの議論を好みます。しかし、ぼくからすれば、というより一般的な認識からすれば、主体の外部こそがむしろ最初に存在しています。「自意識の球体」を問題にする以前に、そもそも自意識は球体などではないし、自意識の球体に閉じ込められていると感じているひとのほうが少ないということを考えるべきです。いいかえれば、ぼくは、哲学や文学の世界では問題が転倒しているとつねに感じつづけてきました。意識から出発して意識の外部へ向かう、そのような論理そのものが転倒している。われわれはむしろ意識の外部から始めなければいけない。それが、ぼくのいう「動物性」であり、機械的な制御であり、物質としての身体の問題です。

たとえば、ハイデガーは近代哲学を批判するために「気分」という言葉をもちだします。この概念はずいぶんとむずかしく論じられてきましたが、これも即物的に理解するほうがいい。人間の気分を決定するのは健康／不健康だったりする。それは身体の問題であって「存在の声」といった問題ではない。哲学は意識の外部という問題をことさら神秘化してきましたが、それはもっと即物的に捉え返す必要があります。

もうひとつのモチーフとしては、経済や産業におけるパラダイムシフトがあります。たとえば、いまや映画を見るという経験は、シネマ・コンプレックスで大きなシートに座りコカ・コーラを飲むといった身体的な環境と切り離せないものとして存在している。いまの文化産業は、身体管理も含めた総合的なエンターテインメントに向かっているわけです。文化産業は身体のような「意識の外部」をコントロールすることによって影響力を拡大している。だとすれば、これからの文化分析はそのような「意識の外部」の分析なしにはありえない。哲学における「意識の外部」の問題と、経済や産業における「意識の外部」の問題が交差するところに、ぼくの問題意識の出発点はあります。

さらにつけ加えると、ぼくの親族に大学関係者がいないことも大きな原因かもしれません。自意識の球体といった話はぼくの親には通じない。しかし、じつはそれこそが一般大衆の感覚だと思います。自意識の球体の「限界」についてウジウジ悩んでいるのは一部のインテリのみであって、ふつうのひとたちが悩んでいるのは毎日の生活とか、もっと動物的な欲求に関わる悩みです。ぼくは基本的にインテリではなく、一般大衆に話しかけています。

――東さんの著作は多方面にわたりますが、いままで韓国語に翻訳されたのはサブカルチャーの批評書である『動物化するポストモダン』と『ゲーム的リアリズムの誕生』、そして小説『クォンタム・ファミリーズ』です〔★1〕。韓国では東さんはサブカルチャー分野に強い思想家というイメージです。そこでサブカルチャーについてお聞きします。

一〇余年まえに『批評空間』と決別してサブカルチャー批評家になるという大

★1　インタビュー収録時点。その後、後出の『一般意志2・0』韓国語版が予定どおり刊行されたほか、『弱いつながり』の韓国語版も二〇一六年に出版された。また現在『ゲンロン0　観光客の哲学』の翻訳も進行している。

冒険を企てた東さんは、東日本大震災以降、サブカルチャー批評から距離を置くと宣言しました。なぜそのような決断をしたのでしょう。分析対象としてのサブカルチャーというジャンル自体の変化と、東浩紀の思想におけるサブカルチャーの位置づけの変化の両面からお聞きしたいと思います。

震災後に「サブカルチャー批評をしない」と決断したわけではありません。そもそも震災以前からサブカルチャー批評には興味を抱けなくなっていました。

ぼくがゼロ年代の前半に日本の言論界で感じた問題は、簡単にいうと世代交代が進まないことでした。一九五〇年代から六〇年代生まれのひとたちが、四〇代に入っても「若い世代」の代表でありつづけ、ぼくの世代は言論人としては活躍できていなかった。そのときに力関係を変える手段のひとつとして、サブカルチャー批評がありました。ところが、震災以前、ゼロ年代後半の時点では、すでに状況は変わりつつありました。ぼくと同世代もしくは下の世代がメディアに出るようになってきました。日本では二〇一〇年前後に大きく言論人の世代交代が起きています。その結果、いまやぼくはむしろ年上の世代になってしまった。ずっと新人だったのが、いまは中堅になってしまったのです。

このような変化のなかで、世代間の力関係の変化を目的としたサブカルチャー論や若者文化論は、もうぼくがやらなくてもいいのではないかと思うようになりました。サブカルチャー論の価値を否定しているのではなく、もはやそれはぼくの役割ではないということです。ぼくの日本のサブカルチャー自体に対する見方は、以前からあまり変わっていません。昔から、そしていまでも、「この国でもっとも理論的におもしろいものは西洋から輸入されたハイカルチャーではなく野生のサブカルチャーから出てくる」という認識のままです。

ただ、おもしろいサブカルチャーの現象を発見することは若い世代にしかできない仕事で、ぼくは年齢的にもそれが無理になりつつあります。これからぼくがやるべきなのは、価値の転倒ではなくむしろ価値の設立でしょう。アニメ・ゲーム・ネットなどが蔓延する日本社会で新しい価値をどうやってつくっていくか、そういう方向に移行しなければならないので、サブカルチャーへのコミットは相対的に少なくなります。

2　『一般意志2・0』にいたる経緯

——韓国での東さんのイメージからすると、政治思想をテーマにした『一般意志2・0』は意外な仕事に映るかもしれません。東さんがこういった題材を直接扱うようになった経緯をうかがいたいと思います。

ぼくはもともと哲学をやっていたので、仕事の横にはつねに政治思想がありました。ただ、ぼくの若いころの日本では、政治について語るというのは——韓国の場合はそうではないかもしれませんが——基本的に退屈で、あまり知的な考察には値しないもののように思われていました。ぼくもそういう空気のなかで、政治に近づくのは避けていました。

そのような感覚は変わっていません。政局報道や政治家のゴシップにはいまも興味がありません。その点で、『一般意志2・0』で急に「政治的なもの」に転向したという意識はないのです。この本には、政治的な提案だけではなく、人間と社会との関係がどう変わっていくべきかをめぐる原理的な議論も含まれています。その議論は、サブカルチャー批評として受容された『動物化するポストモダン』にもありました。この本では、それを、サブカルチャー的な文脈から切り離し、もっと抽象的なかたちで展開しているわけです。だから、『一般意志2・0』は、『動物化するポストモダン』の続篇として見たほうがいいかもしれません。

くわえていえば、ぼくの世代はいち早くインターネットに触れた世代です。ぼく自身、ホームページやブログを運営し、さらにはツイッターを利用するなかで、エンジニアやIT企業の経営者たちと交流を深めてきました。そのようななか、情報技術がもたらす現実の変化を受けて「社会思想にはなにができるのか」についてあらためて考えざるをえなくなったのです。エンジニアや経営者の方々も、彼らが漠然ともつ世界観を言葉にしてくれるひとを求めていると感じました。『一般意志2・0』は、そういう状況において自分なりの役割を果たしたいという気持ちを込めて書いたものでもあります。

――東さんのルソー解釈――コミュニケーションは数えきれないほどの多様な意見をいくつかの対立軸に還元してしまうため、かえって多様性を抑圧してしまう。コミュニケーションなき意見集約が可能になれば、元来の多様性を損なわずに、人民の一般意志が把握できる。そして、それは「集合知」の原理によると、コミュニケーションを経由して単純化した判断と比べ、より正確な判断を導き出すだろう――は鮮やかです。だれもがいちどは感じたであろう代議制民主主義の限界を見事に突いています。『一般意志2・0』を著作の題名として選んだのも、ルソーの「一般意志」という概念に魅力を感じたからだと思いますが、ルソーに関心をもつようになった契機をお聞かせください。ちなみに韓国語版『一般意志2・0』はルソー生誕三〇〇周年に合わせ、二〇一二年六月二八日に刊行予定です。

なぜルソーに関心をもつようになったのか、そのきっかけはじつは覚えていないんですね。はっきりしているのは、昔からルソーを読んでいたわけではない、ということです。ルソーをきちんと読んだのはゼロ年代も後半になってからで、おそらく二〇〇六年か二〇〇七年あたりからです。ただ、そのときもなぜルソーを選んだのかは覚えていません。

ともかく、『一般意志2・0』でも引用した「コミュニケーションなき……」という箇所を発見したときに、ぼくのなかでいろいろなものがバッとつながった感じがしました。それで日本語の全集を買って読み進めるにつれて、ルソーという「人間」総体についての理解が深まっていったのです。政治思想家としてルソーを読みなおすというだけでなく、伝記的事実を含めルソーという人間全体の魅力がわかった気がしました。そのときから集中的に読むようになりました。だから、『社会契約論』のあの一節を読んだのがルソー読解のきっかけ、ということはできます。ただ、なぜそのときぼくが『社会契約論』を読んでいたのかは思い出せない。ふしぎなことです。

――日本語版の序文では『一般意志2・0』を構想するようになった「日本社会固有のコンテクスト」をとくに強調なさっていました。しかし『一般意志2・0』は、資本主義が成熟した民主主義社会ならどこであろうと共有している問題に取り組まれており、一定の普遍性をもっています。今回、韓国語版が刊行されるのを機に、このようなラジカルな提案の礎となった先進資本主義社会に共通するコンテクストを、わかりやすく説明していただけないでしょうか。

まず、現代社会が非常に複雑になったことが挙げられます。ヘーゲルが考えたような「絶対精神としての国家」の理想では、もはや社会全体を導くことがむずかしくなりました。ひらたくいえば、複雑性の増大によって議会制民主主義がうまく機能しなくなったということです。

もうひとつ、先進資本主義社会において、一定の人権意識が浸透していることも重要です。ここには、人間をヒト扱いするか、モノ扱いするかというむずかしい問題が横たわっています。ヒト扱いするというのは、つまりは一人ひとりを主体として受け止め、一生懸命コミュニケーションを取るということ。モノ扱いするというのは統計の数字として、労働力として扱うということです。近代的な人権意識が十分に浸透していない社会においては、人間はモノ扱いされていたし、いまでもそういう地域はあります。そういう社会においては、人間をヒトとして扱うべきだと啓蒙することがとても重要になります。けれども逆に、そのような人権意識が一般にも浸透した社会においては、人間一人ひとりが尊重されるという前提のうえで、そのようなコミュニケーションに限界があることも指摘したほうがいいように思います。

ぼくが『一般意志2・0』で提案したのは、いままでぼくたちは有権者をひたすら固有の「主体」としてのみ捉えてきたけれど、同時に、有権者の意志をモノのように扱い、数学的に処理する可能性を考えてもいいのではないかということです。その提案は、近代的な人権意識が当該の社会に浸透している度合いによって、まったく異なる意味を帯びてしまうと思います。ぼくは、十分に民主化された社会、そして十分に人権意識が浸透し、十分に多様性が確保されている社会においてはじめて、一般意志2・0の提案は機能すると考えています。そうでないと一般意志2・0はたんなる全体主義肯定の理論になってしまう。

3 『一般意志2・0』と日本の政治

——社会が複雑化すればするほど、ルーマンのいう「複雑性の縮減」は不可避です。従来の政治領域では、討議と多数決の原則にもとづく代議制民主主義がこの縮減の役割を担ってきました。しかし、輪をかけて複雑化が進行している現代社会では、いままでとは異なるあらたな縮減方法にも目を向けないと、政治はモノと情報がますます増加し相互作用の網目がミクロ化していく現実にまともに対応できなくなるのではないか。『一般意志2・0』の背景には、そのような危機意識を感じます。

日本では、表面的に二大政党制が実現したあと、二〇〇九年の総選挙で民主党が自民党に勝って政権交代を実現しました。当時は、人々は政治に対してもっと信頼を寄せていました。政権交代が起きれば政治も変わると思っていた。ところが現実にはなにも変わらなかった。ほかの国の状況はよくわかりませんが、いまの日本においては、自民党がどうとか、あるいは民主党がどうとかの問題以前に、政治制度自体に対する不信感がかつてなく高まっているように思います。議会制に問題があるのではないか、選挙という方法自体に問題があるのではないか、というレベルで不信感が高まっています。

――そういう危機意識のなかで刊行された『一般意志2・0』ですが、日本ではどんな反応があったのでしょう。

三万部ほど売れましたし、好意的な書評も多く見ました。「一般意志」という言葉の認知度も上がり、いままでぼくの本を読んだことのないひとも読んでくれています。そういう意味では成功したと思いますが、刊行されて半年しか経っていないので、このさきどういう読まれかたをするのかまではわかりません。

日本の民主党は「熟議」を大きなテーマとして掲げていました。『一般意志2・0』の主張は「熟議には限界があってデータベースで補う必要がある」というものなので、民主党のテーゼに抵抗している本でもあります。これは韓国の読者には見えにくいコンテクストだと思いますが、そういう意味では具体的な政治に巻き込まれています。そもそも日本で熟議という言葉が一般化したのは民主党が政権を取ってからで、それまでは専門家しか知らないマイナーな概念でした。民主党はいまも熟議を掲げているけれども、それは失敗しています。

――韓国語には「熟議」にあたる言葉がないので、翻訳にあたって別途説明をつけ加える必要がありました。

そうですか。熟議という言葉の来歴をいうと、鈴木寛さんという官僚出身の参議院議員（当時）がいます。彼は大学でも教鞭をとっていて、熟議民主主義について研究していました。民主党政権が誕生したあと、菅直人元首相が鈴木さんの研究内容を知って、この言葉を採用したといわれています。鈴木議員には先日お目にかかる機会がありましたが、『一般意志2・0』を線をいっぱい引いて読んでくれていて、そのうち意見を交わすことになりました［★2］。そういうかたちでの反応もありました。

――『一般意志2・0』で東さんは、人々の生活履歴を集積したデータベースを適正に解析し、社会の集合的な無意識を可視化することの意義を、フロイトの精神分析学を導入して論じておられます。集合的無意識というとフロイトよりユン

★2　二〇一二年、東は当時民主党所属の参議院議員だった鈴木寛とTV番組「ニュースの深層」で共演。その後ニコニコ生放送での対談「熟議はどこまで可能か」（『震災ニッポンはどこへいく』、ゲンロン、二〇一三年）やゲンロンカフェでのイベント「熟議から未来を考える」（URL= https://genron-cafe.jp/event/20130515/）など、複数回対話を行なっている。

グがふつうは引き合いに出される印象がありますが、東さんは『存在論的、郵便的』からすでにフロイトにこだわりを見せていました。特別な理由があれば教えてください。

ぼくの学問的原点である現代思想の世界では、ユングは、オカルトというかニューエイジに近く、「フロイトの学問を歪めた人間だ」と教えられてきました。したがってぼくもユングを肯定的に評価することに抵抗があります。しかし、いまの状況からユングを評価しなおすことは、もしかしたらできるかもしれません。ただ、日本では、いまいったようにユングといえばニューエイジという印象が強い。ぼくの本がフロイトではなくユングを参照したならば、内容はすごくわかりやすくなっただろうけれども、同時にかなりの誤解も呼んだことでしょう。つまり、インターネットを経由してみんなの心と脳が直接つながるような、SF的イメージで理解されたと思います。そのようなことを考えると、ユングを参照しなかったのは正解だったと思います。フロイトは個人主義者なので、人間があくまでもバラバラだと考えている。だから、「人間一人ひとりはバラバラだけど、各自がバラバラの状態で出力したデータを集積すると、データのうえでは集合的無意識が立ち現れる」という本書のイメージに符合します。

4 柄谷行人のロマンティシズム

――韓国の読者になじみの深い日本の評論家に柄谷行人がいます[★3]。韓国の読者が東浩紀を理解するには、柄谷との共通点、あるいは相違点を明確にしておくのがよさそうです。そこで、ふたつ質問させてください。

柄谷は一九九〇年代後半に、代議制民主主義を批判し、「くじ引き」の導入を

★3 柄谷の韓国への影響を論じた書籍として、ジョ・ヨンイル『柄谷行人と韓国文学』(高井修訳、インスクリプト、二〇一九年)がある。著者のジョ・ヨンイルは、韓国語版『柄谷行人コレクション』の編者・訳者であり、東の『存在論的、郵便的』の訳者でもある。

提案しました（『日本精神分析』）。ここには、制度内に不透明性・偶然性を取り入れ、予定調和を克服しようという意味が込められていました。他方、『一般意志2・0』は無意識の可視化と意志決定の透明化を志向しており、柄谷とは対比的な提案と言えます。ただ、「理性（あるいは意識）の外部」を政治的な意志決定のプロセスに導入しようとしている点では類似性もある。東さんから見て、柄谷の「くじ引き」はどのように映るのでしょう。

柄谷行人さんがいっていたことは、熟議の原理にもとづいて話しあいを行い「これがみなの統一した意志だ」といっても、しょせんそんなものはフィクションなので、その外部がなければシステムは安定しないということだと思います。コミュニケーションを深めればコンセンサスに達するというのは嘘で、ほんとうはその外部がないと議論は無限後退していく。くじ引きの導入は、偶然性の問題というより、そのような「熟議の外部」の導入の提案として捉えるべきでしょう。熟議に外部が必要だというのは、『一般意志2・0』と同じ認識です。けれども、その「外部」をどう捉えるかという点で立場が分かれます。ぼくは、柄谷さんはたいへんロマンティックな書き手だと思います。くじ引きというのはあまりにもわかりやすい外部のイメージです。それに対して、ぼくが提案する「データベース」は、外部でないふりをする外部とでもいえばいいでしょうか。べつのかたちでいえば、柄谷さんのくじ引き論は一種の「否定神学」です。ぼくと柄谷さんでは、外部に対する捉えかたがちがいます。

——ありがとうございます。ちょうどふたつめの質問につながる回答でした。東さんは以前から、柄谷が『探究I』で論じた「他者」や、高橋哲哉の「他者」概念に批判的なスタンスを取ってきました。『一般意志2・0』ではローティのアイロニカル・リベラリズムを紹介し、自身の立場を重ねあわせています。〈柄谷-高橋〉と〈東-ローティ〉の他者観はどう異なるのでしょう。

柄谷さんや高橋さんの他者は究極的には神だと思います。ぼくやローティの他者は、動物というか、近くにいるペットみたいなものだと考えればいい。たとえば「飼い犬は他者か？」と問うたとき、柄谷さんや高橋さんはおそらく否と答える。けれども、ローティは飼い犬こそを他者だと思うのではないか。裏返せば、それは人間を動物と同じように扱ってしまう哲学でもあります。ローティは「目のまえの人間が苦しんだり痛がったりしていると、人間は手を差し伸べてしまう。そこから始まるんだ」というわけですが、それはペットをまえにした感覚と同じですからね。柄谷さんや高橋さんは、おそらくそういう感覚を他者への直面だとは考えない。

彼らにとっての他者は、そのような共感ではけっして届かない、絶対的なものだと思います。それは宗教的な体験にも近い。そのような体験は、それはそれで尊いものではありますが、社会をかたちづくる原理としては十分ではないように思います。超越的な他者を強調することによって、目のまえの人間に対する共感や同情を壊してしまう可能性すらある。したがって、ぼくはローティのほうを支持するのですね。

――その意味でいうと、柄谷のいう外部はロマンティックですね。

そういうことです。他者というのは、とくに発見しなくてもあちらこちらにいるものです。そう考えなくてはならない。『批評空間』のグループも、最初は哲学の神学化に抵抗し、「小さな他者」に敏感だったと思います。ところが、狭いサークルのなかで議論を煮詰めていく過程で、いつのまにか神学的な議論に近づいていった。

5 民主主義と無意識の相互補完

――『一般意志2・0』によると、多様性が十分に確保できたとき、一般意志2・0は信頼に足る正確性を獲得します。しかし、集合的無意識が多様性の排除に向かい、マジョリティの優位性を増幅させる回路として機能する可能性はないでしょうか。「多様性の保証」と「集合的無意識」は両立できるのか。

多様性は個の原理で、集合は統計の原理です。いいかえれば、多様性は人間の原理で、集合は動物の原理です。ある集団を集団として捉えたとき、個別に見るときの多様性がなくなるのは当然です。人間一人ひとりがいくら多様でも、たとえば身長という基準で見たら正規分布しているだけであり、そこに多様性などありません。どの時代にも身長の分布は同じグラフを描く。まったく多様じゃない。けれども、一人ひとりを見たら身長においてやはりちがうわけです。このふたつは完全に両立します。そういう意味で『一般意志2・0』の提案は、「同じ現実に対して異なる見方をしてみよう」という試みであり、データベースと熟議は排除関係ではなく相互補完的な関係を結びます。

一般意志2・0を取り入れると多様性がなくなるかもしれないとおっしゃいました。人間を統計的に処理すれば当然そうなります。しかし「統計がこうである」

ということと、「政策として決定するときにどれが正しいか」というのはまったくべつのことです。ぼくが主張しているのは、「統計を見ると全体的にこういう傾向が現れている」という情報を見ながら専門家たちが熟議するべきだ、ということです。正しさは熟議が決めます。

これも、韓国など日本以外の国ではわかりにくい議論かもしれません。ぼくは、いま日本で問題なのは、人々が熟議「しすぎる」ことだと考えています。日本には「談合」という言葉があり、これは悪い意味で使われています。けれども、じつは熟議と談合は似たようなものでもあって、密室で少数の人間がなにかの決定をするという点では変わりません。日本には、このような「熟議」が数多くあります。だから、そのような狭い「熟議」を壊すためには大衆の声をそこに導入する必要があるし、そのためには声に機械的な処理を施さなければならない、というのがぼくの考えなのです。機械的な処理を施したら、むろん大衆の声はのっぺりとしたものになってしまいます。一人ひとりの声はなくなってしまいます。そしてマジョリティが優位になる。けれども、それでもそのような回路がまったくないまま狭い熟議がなされるよりはいい結果が出てくるのではないか。これがぼくの本の趣旨であって、大衆の無意識に無条件に従いなさいとはいっていません。

ここは、日本で読まれた際にもっとも誤解された点なので、韓国語版が出版されるまえのこの機会にいっておきたいと思います。本書はけっして「大衆の無意識に従え」という本ではありません。むしろ、可視化された大衆の無意識にこれからの熟議がどう立ち向かうか、という本です。いままでのように、あたかも大衆の無意識が存在しないかのようにふるまい、専門家の熟議だけを政治とみなすことは、もはやできないのです。政治家や専門家が密室でものを決めるということは成立しません。それが前提で、そのさきの話をしている。

大衆が政治に参加するのは選挙のときだけ、という時代も過去になりつつあります。ソーシャルメディアがあり、人々の反応がつねにネットに流れる時代になってきました。いわば毎日毎時間選挙をやっているようなものです。本書は、その状況を前提としたうえで「政治的議論をどう組み立てていくか」という議論をしています。

あと、これは日本の「ＢＬＯＧＯＳ」という言論サイトでのインタビュー［★4］でもいったことですが、いま日本で話題の政治家として橋下徹大阪市長（当時）がいます。彼はポピュリストとして人気を博し、強い影響力をもっている。ぼくは彼の政策を部分的に支持していますが、それとはべつにポピュリズムには問題を感じます。一般意志２・０は、ポピュリズムに対する抑制装置としても機能するはずです。ポピュリストが強い権力を行使できるのは、結局は選挙の機会が少ないからです。数年にいちど選挙が行われ、そのときだけ大衆の支持を集めれば、任期のあいだは独裁が実現できる。けれども、一般意志２・０のシステムではつねに大衆の欲望が可視化される。そのため、むしろポピュリズムという現象は維持できなくなるのではないでしょうか。本書の構想は、単純な大衆主義対選良主義といった対立構図にはあてはまりません。

★4　『『一般意志2・0』が橋下市長の〝独裁〟を止める？――現代思想家、東浩紀インタビュー』、「ＢＬＯＧＯＳ」、二〇一二年二月九日。URL= https://blogos.com/article/31477/

6　ツイッター時代の人民主権

——現代史のなかでいちど民主主義を失い、多くの犠牲を払って民主主義をふたたび勝ち取った経験がある韓国社会では、民主主義という言葉が独特の価値を帯びています。民主化と社会の大転換が重複したため、民主主義が社会のさまざまな問題を解決してくれるという過剰な期待が寄せられる傾向もあります。

しかし、民主主義はあくまでも意志決定制度であり、すべての期待に応えることはできません。そのため、韓国社会は政治への期待と幻滅とを行き来してきました。著名な政治学者の崔章集(チェジャンジプ)は、これを「民主主義に対する熱望と挫折、熱狂と幻滅のサイクル」と名づけました。

他方、韓国には国家保安法という思想や表現の自由を制限する法が現存しており、民主主義自体が未完成でもある。さらに、李明博(イミョンバク)大統領（当時）は「国民と対話しようとしない」という批判を浴びつづけています。このような現状に鑑みるに、『一般意志2・0』の「コミュニケーションなき意志決定回路」を民主主義制度のなかに導入するという提案には、韓国の読者は抵抗感を覚えるかもしれません。いかがでしょう。

日本でも民主主義は輝かしい言葉です。多くのひとたちが民主主義に強い愛着を覚えています。だから「コミュニケーションなき意志決定」という主張への抵抗感は日本も同じだと思います。

にもかかわらずぼくが本書のような提案をしたのは、「民主主義社会においては多くのひとたちが政治的決定に参加するべきだ」といっても、現実においては一人ひとりのリソースはかぎられており、時間的、能力的、経済的な理由で政治には参加できない、そういう現実があるからです。その現状を打破する必要があります。

こういうケースを考えてみましょう。一般的な市民がブログを開設し、韓国の大統領選、あるいは日本の米軍基地問題などについて意志表明をしようとすれば、多くの時間と努力を投じなければなりません。いろいろなことを調べなければならないし、自分の立場を明確に決めて説得力のある論理を組み立てなければならない。現実的にそこまで政治にリソースを費やせるひとは多くない。そのため、ある政治家や政党を支持する、という単純なかたちで判断に区切りをつけている。けれども、実際には人々は、支持する政治家の政策や主張をすべて受け入れるわけではありません。支持する政策もあれば支持していない政策もある。市民の意見分布と政治とのあいだには必然的に大きなギャップが存在する。

日本では、一九六〇年代に「政治の季節」があり、学生運動が盛り上がりました。しかし、七〇年代以降は政治の存在は希薄になり、同時に幸運なことに経済が発展しつづけ、九〇年代までは拡大の一途をたどりました。経済的に豊かになり、文化的な多様性も拡大したおかげで、そして韓国のように国家保安法のような明確に自由を制限する法律もなかったせいで、政治が機能しようとしまいとあまり関係のない時代をいちど経験しました。韓国の読者には想像しにくいかもしれませんが、ある時期の日本は、多くの国民にとって、経済的な豊かさとそれを背景にした文化的な多様性だけを追求していれば幸せに暮らすことでき、政治なんていらないように見えるという、世界でも稀に見る条件を達成していたのです。

けれども、いまはその負の遺産に苦しんでいるといえます。日本人は政治的な意見表明の方法を忘れてしまった。インターネットという新しい情報環境が現れても、市民はそれを政治的に使いこなせない。既存政党の党組織は特定の利益団体と結びついていて、市民に参入の余地はない。反体制にも同じことはいえて、市民運動の担い手は社会のなかでは特殊なひとだとみなされてしまっている。ふつうの市民がふつうに政治的な意見を表明する回路が存在していない。

このような状況においては、たとえばツイッターのようなツールがひとつの解答になります。一四〇字で簡単に「これがいい」あるいは「あれがいい」という意見表明ができるからです。実際、震災と原発事故以後、日本のソーシャルメディアは急激に政治化しました。たとえば、いまは大飯原発の再稼働[★5]について、毎日反対や賛成のツイートが膨大に流れています。ユーザー一人ひとりが原発問題の専門家かといえば、ほとんどはアマチュアのつぶやきにすぎません。けれども、ぼくはそのようなアマチュアのつぶやきが飛び交う空間こそが健全な政治的空間だと考えています。

つまり、いまの日本における政治制度上の課題は、専門家が議論を深めるような場をつくることでも、政治的発言の自由を保障することでもないのです。それはすでに達成されています。むしろ、それほど政治意識のないひとたち、アマチュアの一般市民たちが負担なく政治的発言ができるような回路をもういちどつくりなおすことが大事なのです。『一般意志2・0』の構想は、このような問題意識から来ています。

したがって、日本語版の序文にも書いたように、もしかしたら本書の問題提起は日本特有のものである可能性があります。日本は、いちど民主主義を達成したあと、政治への関心がとことん失墜した国です。政治が機能しなくても経済と文化は豊かであるという状態を二、三〇年のあいだ経験してしまった。その経験のあとで、政治的な空間をもう一回どう立てなおすか。その課題に日本社会は直面しています。わかりやすくいえば、本書は、この国では政治的な熟議ができるひとは人数的に少なくなってしまったので、熟議を取り巻くつぶやきの空間をつくることによって公共空間を再建しよう、という提案が書かれている本なのです。

韓国において、このような提案が必要となるときが来るのかそれとも来ないのか――ぼくにはわかりません。ただ、ヨーロッパ的な主体性、一人ひとりが成熟した主体として議論を積み重ねることで政治を行う、というモデルにはヨーロッパ独特のバイアスがかかっていて、少なくとも日本においては十全に機能していないと思います。

――『一般意志2・0』は「一般市民の政治参加の敷居を下げて負担なく政治に参加できるようにしよう」という問題意識と、「機能不全に陥った議会制民主主

★5 福島第一原子力発電所の事故以降停止していた福井県の大飯原発だが、二〇一二年夏の電力需要予測を受け再稼働が議論された。二〇一二年七月、反対派のデモが総理官邸前などで行われるなか、三号機と四号機が発送電を開始。福島第一原発事故後はじめて再稼働した原発となった。

義だけに政治を任せていいのか」という危機意識のもとで書かれた。そのように見てよいでしょうか。

まとめればそういうことになります。もっとも重要なものは、「人民が決める」という人民主権の理念です。その理念を実現するための手段のひとつとして、選挙で民意を付託し、一定期間そのひとに政治を任せるという議会制民主主義がある。それを取り入れたのが近代民主国家です。けれども、人民主権の実現方法が議会制民主主義だけに限定される必要はない。選挙という方法以外であっても、人民の欲するところを可視化するかたちで「人民が決める」回路をつくり、それを政治運営に反映することができるのであれば、それもまた人民主権につながります。議会制民主主義を放棄するのではありません。それをもうひとつの回路で補完するのです。

7　日本社会の政治化

ぼくの仕事は非常に抽象的で普遍的なものに見えるかもしれません。けれどもじつは、一九七一年に日本で生まれた人間が考えそうなことをいっているにすぎない、という側面もあります。その両面性が、ぼくのわかりやすさであると同時にわかりにくさにもなっています。おそらくぼくの社会思想の根幹には、日本のバブル時代特有の「政治について考えなくても大丈夫」という感覚があり、またそれを尊重しているところがあります。この感覚はぼくだけのものではなく、震災前までは日本社会に広く残っていたと思います。とはいえ、いまや状況が変わってしまいました。「政治も大事かもしれない」と日本人がはっきり感じたのは、福島第一原発が爆発する映像を見たときでしょう。

ぼくにとって、政治家は魅力的な存在ではありません。日本では、政治家になると一年のうち一〇〇日は運動会、敬老会など選挙区のいろいろな集まりに顔を出さなければなりません。住民たちの小さな不満や要求に粘り強く耳を傾け、込み入った利害関係をあっちこっち目配りしながら調整していく。それは重要な仕事ではありますが、しかし地味な職業でもあります。そう考えているのはぼくだけではないでしょう。実際、日本では政治にはたいして有能な人材は集まらない。いくら制度に問題があっても、いい人材が集まれば、政治は機能するはずです。しかし、いまの日本ではその前提が壊れている。

――今日のお話をうかがって、日本と韓国では政治に対するイメージがかなりちがっていると感じました。韓国では政治というと、社会を二分するような葛藤や対立が噴出する空間という印象をもちます。しかし東さんの話を聞くと、日本の政治は社会全体を揺るがす葛藤や対立がない状態で、こつこつと細かな意見調整を進めていく活動のようです。

そのとおりです。日本ではこの数十年、政治は調整がすべてでした。その状況が前提になっているからこそ、本書の議論が出てくる。かつては日本にも、社会を二分するような葛藤や対立がありました。けれども、戦後のある時期からすべてが調整になってしまった。経済的に豊かになって、社会的な葛藤や対立はすべて分配の問題に還元され、政治はその調整を行うものになってしまった。本書の背後には、そのような日本政治の現状があるのです。

——長い時間、さまざまな質問について丁寧にお答えいただきありがとうございました。このインタビューが韓国の読者にとって『一般意志2・0』を理解するよい入り口に、また東さんの哲学的なベースを理解するきっかけになればと思います。

日本では問われることのない質問が多く、今回のインタビューは新鮮でした。この内容は日本語でも発表したいですね。『一般意志2・0』への韓国の読者の反応も楽しみです。

第2の対話

哲学の責務

聞き手＝安天

2018年1月10日

1　アカデミズムから起業へ

――東さんは、株式会社ゲンロンの代表取締役であり、雑誌『ゲンロン』の編集長でもあります［★1］。ゼロ年代には、慶應義塾大学、国際大学グローバル・コミュニケーションセンター、東京大学、東京工業大学などで教鞭をとり、二〇一〇年代に入ってからも二〇一三年まで早稲田大学で教鞭をとっていました。ところが、二〇一〇年にゲンロンの前身であるコンテクチュアズという会社を設立し、いまは大学ではなく、ご自身で立ち上げた出版社を活動の拠点としています。アカデミックな世界から身を引き、あえて不確実性とリスクを覚悟のうえで出版社を立ち上げた理由をうかがいたいと思います。韓国の批評家や思想家は、アカデミックな世界に身を置きながら執筆活動をするのが一般的です。ですから、大学での役職を捨て、自分の会社で執筆や講演をしている東さんのすがたは興味深く、また、奇異にも感じられます。

最近『新潮』という文芸誌に「ゲンロンと祖父」というエッセイを寄せました[★2]。そこでも触れましたが、ぼくは家族や親戚に学者や知識人がいなかったので、大学教授になることは想像しにくかったんです。ぼく自身は大学院を出ていて、『批評空間』という批評誌に若いころから批評を書いていたので、まわりに学者は多かった。けれども家族にそういう環境がまったくなかったので、このまま歳を取っていつかは大学教授になるというイメージが抱けなかった。大学でものを教えるようになっても、また、文芸誌や論壇誌に文章を書くようになっても、ほんとうの人生ではないという感じがしていました。

ぼくの祖父は、ぼくが幼いころ、東京の赤坂でカーペットやカーテンなどを扱う内装業の小さな会社を経営していました。ゲンロンを起業したあとで、ぼくに

★1　株式会社ゲンロンの代表取締役は二〇一八年一二月に上田洋子へ交代している。
★2　『新潮』二〇一八年一月号。東浩紀『ゆるく考える』(河出書房新社、二〇一九年)に収録されている。

とっての大人のイメージはその祖父の影響を受けていることに気づきました。中小企業を経営するというのが、ぼくにとっての大人だったんですね。ずっと自覚していませんでしたが、ゲンロンをやって「こういう大人になるしかなかったんだな」と気づきました。大学で教えたり、文章を書くだけでは、大人になった実感がなかったわけです。

――東さんが大学から身を引いたのは、いまおっしゃったような個人的な理由以外に、大学というシステム自体がすこしずつ崩れかけていることとも関係がありそうです。大学というシステムは、今後どうなっていくと思いますか。

大学といってもさまざまな学部があります。理学部や工学部と文学部では事情がまったくちがいますし、大学全体がどうなるかはわかりません。けれども、哲学については、そもそも大学という制度で教育すべきものかが問われるべきだと思います。哲学は線形的に発展するものではありません。プラトンをデカルトが乗り越え、デカルトをカントが乗り越え、カントをハイデガーが乗り越え、いま「最先端」の哲学があるというものではないわけです。哲学を学ぶためにはつねに古典に戻る必要がある。だとすれば、専門教育にはどんな意味があるのか。専門家はたしかにいろいろ先行研究を知っています。けれども、それだって先行研究のすべてを押さえることができるわけではない。古典を読むときには、みんなひとりのアマチュアに戻るしかないんです。哲学は原理的に専門教育には向かないように思います。

――さきほど「大学で教えたり、文章を書くだけでは、大人になった実感がなかった」とおっしゃいました。幼いころから本を読むことが好きだったということですが、その時点では、大きくなったら学者になろうという考えはなかったのでしょうか。

まったくありませんでした。本を読むことは好きだったし、本を書いて生活したいと思ったりはしていました。けれども、まわりにそんな大人はいなかったので、現実のモデルがなく違和感がずっとありました。大学で教えるようになってからも「これがほんとうに人生なんだろうか。こういうことをやって自分は大人になったといえるのだろうか」という気持ちを抱いていました。これはけっして、大学教員という職業を貶めることではなく、ぼく個人の問題として、学者になることがしっくりいかなかったということです。だから会社をつくることになった。

もうひとつの動機として、むろんいまの大学をめぐる状況もあります。世界中のどこでも同じだと思いますが、いわゆる人文学はどんどん大学のなかに居場所がなくなっている。「文学とか哲学とかをやっていて、それがなんの役に立つのか」とつねに問われる状況があり、日本でも近年は文学部解体論が話題です。人文系の学者は、自分の「存在価値」を証明するためにいろいろと無理をしなければいけなくなっている。

ぼくにはそれがとても不自由に思われました。哲学や思想は、基本的に役に立たない知だと思います。「授業料を払ったら、その分賢くなった」というように計量できるタイプの知識ではない。いまの大学は、昔と異なってそのような知に場所を与えなくなっている。昔の大学は経済の論理の外部にありましたが、いまは内部にある。ぼくはそういう場所で哲学や思想をやるのは原理的にむずかしいのではないかと思い、自分で外部をつくる必要があると思ったのです。

出版の状況のほうにも、起業の必然性がありました。いまは、昔のように編集者が好きな本をつくるために自由に時間を使っていい時代ではありません。出版社も経済の原理に巻き込まれ、つねに状況に急き立てられ汲々としています。ぼく自身も、好きな本をいっしょにつくったり、好きな本についていっしょに語ったりする編集者がだんだん見つからなくなってきました。結果として、自分で出版社をつくるべきだと思うようになりました。

具体的なきっかけは、ゼロ年代のなかばに出てきた宇野常寛(つねひろ)さんという若い評論家です。宇野さんは『PLANETS』という同人誌をつくり、当時約四〇〇〇部の売り上げといわれていました。すごい、と素朴に思いました。宇野さんがやりたいこととぼくのやりたいことは異なります。けれども、文化批評の本で、まったく一般の流通を経由することなく四〇〇〇部を売り上げているのはすごいことです。このような動きを大きくしていけば、既存の流通とは異なる、新しいかたちの人文書の流通モデルをつくれるのではないかと考えました。

そこにさらに象徴的な事件が重なりました。宇野さんが現れたとき、ぼくはちょうど「ゼロアカ道場」という批評家養成プログラムに携わっていました。それは講談社さんのもとでやっていたんですが、担当者が途中で変わってしまった。ぼくは講談社さんとタッグを組んで仲間としてやっていたつもりだったのですが、結局は外注のライターでしかないという現実を突きつけられました。なんとか最後まで継続できましたが、運営しているのは講談社さんなのだから、ゼロアカ道場なんていつ中断されても文句はいえないわけです。そこで「次の世代を育てるには、自分で組織をつくるしかない」と思いました。

――かなり大きな決断ですね。

決断といっても、最初に会社をつくったときには、ぼく自身はほかでメインの仕事をやって、こっちはサブというか、趣味の延長でやるくらいに軽く考えていました。ところが運営していくなかで、ゲンロンのプロジェクトが自分にとっていかに重要であるのかに気づくようになってきた。

その気づきはけっこう遅くて、起業から三年を経た二〇一三年くらいです。それまではどこかで、「いざとなればゲンロンという会社はつぶして、文章を書いたり大学に戻ったりすればいい」と思っていました。そして、実際にいろいろなことがあって二〇一三年には会社がつぶれかけた。その現実が迫ってきたときに、「いや、これは絶対つぶしてはいけない」とはじめて切実に思いました。だから、ある意味でそのときこそほんとうの創業といえると思います。それ以降、ゲンロンを経営する活動こそが批評であり哲学なんだと思うようになりました。

もうひとつ、二〇一三年はゲンロンカフェをつくった年でもあります。最初はゲンロンカフェで収益を出せるとは思っていませんでした。ぼく自身も無理だと思っていたし、ひとにもそう指摘されていました。ところが現実には、ゲンロンカフェは開業後すぐに収益を上げる事業になりました。ひとはトークショーを見るのが好きだったんですね。

ゲンロンカフェを始めてから、「哲学とはなにか」を深く考えるようになりました。プラトンの対話篇を読むと、いろいろな職業のひとたちが集まって、お酒を交えてソクラテスとしゃべっているすがたが記録されています。じつは哲学の起源はそのような「おしゃべりの場」です。その場の会話からさまざまな概念を抽出し、理論化し教育可能なものにするという行為は、あとで出てきたものにすぎません。加えて大事なこととして、そこでソクラテスと対話していたのは、けっして哲学者だけではありませんでした。軍人や政治家、劇作家などいろいろな職業のひとたちが集まって、勝手にしゃべっていた。さまざまな背景をもったひとたちが自由にしゃべる場をつくること、それこそが哲学の原点であると考えれば、ゲンロンカフェはそれにきわめて近い活動をしていると思います。

ゲンロンカフェにはいくつか特徴がありますが、そのひとつは時間制限がないことです。書店のイベントスペースや大学とは、この点が大きく異なります。東京でもシンポジウムやトークイベントは毎日のように開かれていますが、たいていは一時間や二時間が限界です。でも、実際にゲンロンカフェを経営してわかったのは、ひとは一時間や二時間ではなにも本質的なことはしゃべらないということです。これは経験からの数字でしかないですが、どうやらひとは、壇上で二時間くらいの時間が経ち、あるていど疲労が溜まり、それぞれが用意してきた発表の内容が尽きたところで、はじめて新しい発言をし、対話といえるものを始めるようなのです。登壇者の警戒心を解くためには、時間が十分にあること、またアルコールも含めてリラックスした雰囲気をつくることがとても大事です。

くわえて、ゲンロンカフェでは、会場の対話をニコニコ動画で中継することによって、会場の外からもいわば「ヤジ」が飛んでくる仕組みになっています。このヤジの存在も重要で、登壇者がリアルタイムで不特定多数のリアクションにさらされることで、対話は豊かになります。

時間制限を撤廃すること。中継すること。この二点がゲンロンカフェの成功の原因なのですが、現実にはこれらを実現できる場所はほとんどありません。ゲンロンカフェは、ぼくが自分で場所を借り、運営している店なので、スタッフに給与を払えばいくらでも開店時間を延ばすことができます。けれども、もし大学の教室を借りてやろうとすれば、たとえば夜の九時までには鍵を返却しなければならなかったり、お酒を出すことは無理だったり、さまざまな制約が出てきます。そういった制約ひとつひとつは、一見対話の本質には関係がないように見えます。でもじつはそれらこそ本質を規定するのです。

いずれにせよ、そういう制約から解放された空間をつくることによって、はじめて哲学的な対話は成立する。そして、そういう空間をつくるためには、現実的には自分で場所を借りて事業を運営するしかない。ゲンロンとゲンロンカフェを経営するなかで、むしろいまでは、それらの経営こそが哲学の原点に近いと思うようになっています。

——各人が用意してきた内容が尽きてこそ、はじめて対話が始まると。印象的なお話です。

ふつうシンポジウムと呼ばれるものは、たとえば三人の登壇者がいるのであれば、ひとりが三〇分ずつ話して、最後の三〇分はディスカッションに割りあてられる進行になっています。けれども、そんな進行ではほとんど対話は起きません。ぼく自身何回も経験がありますが、たとえば外国に呼ばれてそういうシンポジウムに参加すると、各自は用意した文章を読み上げるだけだし、ディスカッションといっても発言の機会が回ってくるのは一回か二回です。たいていはディナーがありますが、そこでもたまたまとなりに座ったひとと無理をして会話をするだけ。わざわざ外国に行ってなにを得たかというと、結局はなにも得ていない。けれども形式としては、シンポジウムが行われ、交流があり、業績も増えたことになっている。いまのアカデミズムには、そういう空虚なシンポジウムがじつに多い。みんなシンポジウムとか、対話とか、コラボレーションとかいうけれど、具体的な現場の進行については驚くほど無頓着なんです。現実に出来事が起こるようにするためには、さまざまな仕掛けが必要です。ゲンロンはつねに「出来事が起こる場所」を目指しています。

2 『一般意志2・0』を振り返る

——『一般意志2・0』では、ツイッターやニコニコ生放送のようなあらたなコミュニケーションツールにより、ふつうのひとが気軽に政治や政策についてつぶやいたことが集積され、一般意志として可視化されるような公共空間が構想されていました。また、同時期に東さんは、ツイッターのリツイートのような機能について、利用者本人にとってふだんなら接することがないような情報との接触（誤配）を実現する可能性を評価していました。他方、言論空間としてのいまのツイッターは——すっかり日常用語として定着した——「炎上」という言葉に代表されるように、ある種の窮屈さが感じられるきらいもあります。ツイッターをはじめとするSNSに関する、東さんの現状認識を聞かせてください。

『一般意志2・0』は、二〇〇九年から二〇一一年のあいだに書かれ、二〇一一年の秋に出版された本です。いまはそれから一〇年近く経っています。また日本では、連載が終わってから本にするまでのあいだに震災がありました。それもぼくの考えに大きな影響を与えています。

この一〇年のあいだで、SNSについての評価は、ぼくだけでなく一般的に、また日本だけでなく世界的にも、期待から失望に変わっていると思います。テクノロジーだけでは社会はよくならず、使う人間こそが重要だという、ごくあたりまえの問題があきらかになりました。SNSは、自分が好きな情報だけを集め、敵と味方の境界をはっきりさせ――これは『観光客の哲学』の問題意識でもありますが――、自分を味方の世界のなかだけに閉じ込めるツールになってしまいました。この点は、前回お話をしたときと意見が変わっています。

けれども、本来は、これもぼくだけでなく多くのひとがいっていたことですが、SNSやインターネットは「誤配」を増やすための技術としても使えたはずです。

その部分をこれからどう取り戻していくかが重要です。

いまは、ネットだけでは誤配を高めるのはむずかしいと考えています。現実空間と情報空間の組みあわせで考えなければならない。『弱いつながり』と『観光客の哲学』で「観光」という言葉で表現したのは、その組みあわせの例です。

観光というのは、一般には退屈な現象だと思われています。なぜなら、観光に行くひとたちは観光地についてあらかじめすべて知っているからです。たとえばパリを観光する場合、パリで見るべきものはガイドブックにすでに全部書いてある。すでに本で見たエッフェル塔を現地で見て、それを写真に撮ってSNSにアップして喜ぶ。それが標準的な観光です。つまり、知っていることを確認するために観光地に行くのが観光という行為であって、だから観光はつまらない。

けれども、それだけなのか。たしかに観光客自身は、自分が知っていることを確認するために現地に行っているのかもしれない。けれども、実際にはそこで思いがけないことが起こったりする。そういう誤差が必ず入ってくる。そのずれこそが「観光」の本質です。そして、そういったずれの場にひとを引っ張り出す力は、いまでもネットにはあるはずです。ネットがネットだけで完結していたらなにも起きないけれども、それが現実と結びつくと、想定していたこととはちがうことが起きる。つまり「誤配」が起きる。インターネットやSNSはまだそのような可能性をもっている。

――現実で思わぬ経験をすると、それがきっかけになって、ネットワークを異なるかたちで活用する可能性が開かれるということでしょうか。

というよりも、人々に、ネットがない現実だけで生きていたならばけっして出会わなかったはずの経験をさせるために、ネットが使えるということですね。本来はそれこそがネットの力だったと思います。

ゼロ年代は、日本だけでなく世界的に、情報技術の革新によって社会が変わり、政治も変わるという夢が信じられていた。二〇一〇年代後半にはそれは裏切られた。象徴的な例が、二〇一六年末のアメリカ大統領選でのトランプの勝利です。

つまりポストトゥルースとフェイクニュースの現象です。この現実を引き受けたうえで、情報技術をどう使えば社会や政治がよくなるのか、あらためて原理的に考える必要がある。そこでぼくとしては、情報技術と現実世界をうまく組みあわせて「誤配」をいかに増やすかが、これからの政治や哲学の目的になるべきだと考えているのです。

——情報技術と現実世界を「組みあわせる」という考えかたは、データにだけ頼るのではなくヒトの「身体」の感覚も使わなければならないというお話にも解釈できるかと思います。東さんのゲンロンカフェも、身体の哲学を最大限に実現するひとつの方法として見ることもできそうです。ところが、集合知がビッグデータに置き換わっただけで、現在の社会は依然としてデータを奉しているような気がします。

そうですね。いま挙げたSNSがいい例です。SNSはインターネットに人間関係を持ち込むメディアとして期待されましたが、実際には人間関係を数値化するメディアになってしまった。そして人々はRTや「いいね!」の数だけを競っている。

——『一般意志2・0』で東さんは「グーグルやツイッターは、新しい政治参加、新しい行政参加のありかたを提案しているだけではない。それは、わたしたちがこの二世紀のあいだ作り上げてきた統治機構そのもの、国のかたちそのものへの原理的な疑義を突きつけているのである」[★3]と書かれました。いまもこの考えかたは有効でしょうか。

はい。その考えはいまも変わりません。ただ、それは、グーグルやツイッターが出てきたから、これからは国家はいらない、政治はいらないということを意味

★3　東浩紀『一般意志2・0』、講談社、二〇一一年、九三頁。

しない。むしろ新しい国家像や政治像が必要になるという意味です。ではどのようなものになるのか。ぼくはそこでは、さきほど述べたことの繰り返しになりますが、古い議会制民主主義と新しい情報型民主主義をどのように「組みあわせる」かが重要な問題になると考えています。

議会制民主主義は熟議を前提にしている。意識的なコミュニケーションが正義をつくり出すと考えている。他方で情報型民主主義はビッグデータを前提にしている。コミュニケーションがなくても、人々の無意識の欲望を集めれば正義が実現すると考えている。でも、そのどちらも不十分なんです。両者を組みあわせることで、はじめて正義は実現できる。

いいかえれば、ぼくたちは、「政治的動物」と「データベース的動物」――これは『動物化するポストモダン』で提案した概念ですが――をいかにして組みあわせるかを考えねばならない。これは具体的な話です。ぼくたちはいつも「政治的動物」でいるわけにはいかない。おいしいものも食べたいし、セックスもしたいし、暖かい服をきてぐっすり眠りもしたい。そういう快楽を求める身体がメディアと直に結ばれたかたちが「データベース的動物」です。ではその動物性、すなわち快楽に弱い身体を、いかにして管理し、自分たちの人間性＝政治性と調和させていくのか。そこが問題だと思います。ぼくの考えでは、晩年のフーコーが考えようとしたのは、その調和の可能性です。

3　東日本大震災

――『一般意志2・0』の原著は、東日本大震災が起きた二〇一一年に刊行されました。当時東さんは、東日本大震災、とくに福島第一原発事故によって、日本社会に大きな断絶がもたらされたと論じていました。いまの時点からあらためて振り返ってみたとき、東日本大震災は日本社会をどのように変えたと思われますか。

ひとことでいえば、たいへん政治化しました。少なくとも東京に住む人間の実感としては大きく変わりました。二〇一一年以前は、日本社会は基本的に「ノンポリ社会」だったと思います。たしかにさまざまな政治的な問題はあった。けれども、人々が街で会ったときにつねに政治の話をするような社会ではなかったし、デモはもう何十年も力をもっていなかった。ところが二〇一一年以降は、若いひとたちがデモに行くようになった。大学の教壇に立っても政治の話をしなければならなくなった。これはとても大きな変化でした。

ぼくは二〇一二年、毎週金曜日の夜、早稲田大学で講義を担当していました。日本では当時、金曜日は国会前で反原発デモが行われる日でした。したがってぼくは、なぜデモに参加しないで授業をやっているのか、その理由を話さなければいけなかった。以前はそんな経験はしたことがありませんでした。二〇一一年から日本は「デモの時代」「政治の時代」に入り、それはいまも続いています。

総じていえばこれはいい変化です。けれども、悪い面もある。二〇一一年までが「ノンポリの時代」だったというのは、べつのいいかたをすると「中道の時代」

だったということでもあります。むしろ、当時三〇代以下だったぼくの世代、日本でいう「団塊ジュニア」の世代のあいだでは、右と左、保守と革新の対立は古いという認識がありました。実際にどっちかわからないひともたくさんいましたし、国政選挙でも第三の立場の出現が望まれていました。

けれども、いまでは逆に、保守と革新の対立はどんどん先鋭化しています。とくに知識人のあいだでそうです。最近は、多くの作家やミュージシャン、アーティストなどが積極的に政治的な意見表明を行うようになっています。それはいい面もあるけれども、他方で、みな過剰に政治的なものへと急き立てられているようにも感じます。かつての日本を知っているぼくからすると、窮屈にも感じられます。

――なぜ震災が社会の政治化をもたらしたのでしょう。

東日本大震災が起きた当時、日本は民主党政権でした。多くの国民が、震災、とくに原発事故の収束に関して、民主党政権が大きな失敗をしたと考えました。そこで政治と自分の生活が直結するという感覚が生まれたのだと思います。

実際には、これはあまりにシンプルな考えかたです。すべてを民主党政権のせいにし、安倍政権に救いを求める考えは、現実に即していません。ただ、いまは反権力側も同じ発想になっていて、そちらはこんどは「いま日本が苦しいのは自民党のせいだ、だから政権交代だ」となっている。二〇一一年以前にはみなそこまで単純な考えはしていなかったはずですが、いまはそうなっている。この単純化こそが震災・原発事故の「効果」だといえます。

もうひとつ重要なのは、原発事故への対応をめぐり、当時のとくに東日本では多くの家庭のなかで対立が起きたということです。子育て世代では一般に、男性のほうに「放射能はたいしたことない、福島を支援しよう」と考えるひとが多かった半面、女性のほうは「放射能は怖い、子どもといっしょに疎開する」と判断するひとが多かったといわれています。ジェンダーと行動はそんなに簡単には結びついていないと思いますが、日本では男性が働き女性が専業主婦という家庭もまだ多いので、その場合は男性だけ東京に残り、女性が子どもを連れて地方に疎開したケースはあったかもしれません。いずれにせよ、二〇一一年の原発事故は、日本の多くの家庭に、原発に賛成するか反対するか、放射能被害を深刻に考えるか考えないかという「政治的」な対立を持ち込んだわけです。

韓国は過剰に政治化された国だと聞いています。昔もいまもデモが頻繁にあるし、家庭のなかに政治的な対立が入り込むケースも日本より多いでしょう。そういう意味では、二〇一一年以降の日本は韓国に近づいたともいえるかもしれません。

――日本人が政治の重要性に気づいた、といえそうです。

そうですね。日本人の多くはその感覚を長いあいだ忘れていた。

――そのような感覚が正しいのかどうかはさておき、それが日本社会で新たな共

通認識になってしまったと。

そうです。そうなってしまったので、逆にその感覚に異議を唱えるぼくのようなひとは居心地が悪い。『観光客の哲学』は、そういう点では「脱政治化」を勧める本です。友と敵の対立ではないかたちでものを考えることが重要だということを、強く主張しています。この主張の背景には、二〇一一年以降の日本が急速に政治化し、社会が二極化した状況があります。「おまえはなぜデモに行ってないんだ」と、つねに問い質される時代になってしまった。

その時代への違和感は、ぼくがいま『ゲンロン』という雑誌をやっている理由と深く関係しています。ゼロ年代には、友と敵の対立を乗り越えろなんていわなくてもよかった。若いひとが脱政治化しすぎて、逆に知識人は政治化を呼びかけなければならない状況だった。それがくるりと反転してしまった。

『ゲンロン』は、政権を支持する記事も、特定のイデオロギーが強く出た政権批判も掲載しません。デモに行こうと呼びかけたりもしない。むしろ「運動への駆り立て」からは距離を取ろうとしています。なぜかというと、いまや日本では、思想や批評を担うひとたちがみな画一的にデモに行くようになってしまったからです。知識人がみな、「今回の選挙でどこを支持するのか」「いまデモに行くか、行かないか」といったことばかり話すようになってしまった。それはあまりに画一的で、それこそが政治的に危険だと思います。だからそのような状況に疑義を表明したい。けれども、疑義を表明できる場所がない。だから自分でつくらなければならない。そういう点でもゲンロンをやる必然性が出てきたわけですね。

——ゲンロンを重視するようになったのと、震災による社会の変化は連動しているということですね。

はい。震災がなければ、いまのゲンロンはなかったと思います。さきほど二〇一三年に会社がつぶれかけたといいましたが、じつはその年に『福島第一原発観光地化計画』という本を出しました。これが強い批判にさらされました。ぜんぜん売れず、支持もされませんでした。でも、批判を見ると、じつは本の内容とはほとんど関係がなかった。そこにあったのはたんに「おまえは福島の敵か、味方か」という理屈だけでした。「福島の味方にならないんだったら、おまえは敵だ」というかたちで不当な批判にさらされ、その結果、会社も傾いてしまった。

だから、そこで会社をつぶすか、つぶさないかという判断は、そのような敵と味方をはっきりさせる社会に対してどういう態度を取るかという、べつの判断と連動していました。そのときにぼくは、こんなことでいいわけがない、対立から距離を取り、敵と味方をはっきりさせずにすむような場所をあらためて自分でつくらねばならないと思いました。だから、会社をつぶさないで本気でゲンロンをやろうと思ったんです。

——思想家としての東浩紀にとって、東日本大震災はどのような意味をもったのか、震災によってその思想はどう変化したのか、あらためてうかがえますか。

すでに話したとおりです。友と敵の区別をはっきりさせようとする、政治的立場の表明を不断に強いる世界に対して抵抗しなければならないという思いを強くしました。そして、そのような抵抗こそが、人文知の、そして批評や哲学の本来の役割だと考えるようになりました。ぼくは一九七一年生まれで、いわゆる「一九六八年」のあとに生まれています。ですから「ノンポリの日本」をずっと生きてきた世代です。それは悪いところもあるけれども、人々がつねに「おまえは右翼か左翼か」と質問されなくてもいい時代でもあった。その時代がもっていた豊かさを、いまあらためて考える必要があると思います。それはたんに戦後日本社会を肯定するだけではなく、普遍的な問いかけにもなるはずです。

東日本大震災のあと、日本は友と敵の時代に入りました。けれども、それは必ずしも震災だけのせいではないですし、また日本だけの問題でもありません。それはネットの問題であり、ポピュリズムの問題でもあります。ブレグジットやトランプの問題につながります。SNSのせいで、世界中が友と敵をはっきりさせる時代に入ってしまった。日本では、ちょうど二〇一〇年代頭に東日本大震災が起こったこともあり、その変化がとくに急激だったように思います。

——『一般意志2・0』では新しい情報技術を生かした新しい社会関係の可能性を期待した。しかし東日本大震災が起き、友と敵をはっきりさせる流れが生まれ、情報技術はそれを加速してしまった。『一般意志2・0』で期待していたものとは正反対の現実になってしまったと。

そういうことになります。そのような現実に抵抗するためには、基礎的な部分からやらなければならないという結論にいたった。そのため大学の教員をやめ、同時期にマスコミにも出なくなりました。「若手知識人」という立場でテレビに出たり、新聞に出たりすることに関心がなくなりました。マス（大衆）に向かって訴えかけようとすると、結局右か左かどっちかの陣営につくしかない。右でも左でもない、そのあいだでものを考えたいのだといくら訴えても、まったく届かない。だから、自分でまずは、オルタナティブな小さい空間をつくり、それを徐々に拡大するしかないと思うようになった。

——戦略自体が変わったことになります。

そうです。

4　観光

——『一般意志2・0』以降の著作に、『弱いつながり』と『観光客の哲学』があります。この二冊ではどちらも、「観光」という用語がもっとも重要なキーワードになっています。東さんが観光という言葉を積極的に使い始めたのは『福島第一原発観光地化計画』の時期からだと思いますが、観光に着目するようになったきっかけがあるのでしょうか。

福島原発の事故が起きたあと、哲学者としてぼくができることはなにかを考えました。復興プランについて考えても、それはぼくの専門ではない。ではぼくなりの独特な観点はないかと考えていく過程で、ダークツーリズムという考えかたに出会いました。同じように事故を起こしたチェルノブイリが観光を活用していることを知り、とても驚いたんですね。それで二〇一三年にチェルノブイリに行って、取材を行いました。そうやって観光の意外な可能性に関心をもつようになり、本も出すことになった。ところが、さきも触れたように『福島第一原発観光地化計画』という本、いや、そのコンセプトそのものが激しい批判にさらされました。つい先日、ソウルでシンポジウムが開かれ、韓国の参加者と対話しましたが、そこでもそのような試みをしたということだけで強い批判を受けました[★4]。当時は日本でも、似たような反応がたくさんありました。

それは会社の経営者としてはつらいことでした。けれども批評家としては、逆にその反発を目にして、このテーマは真剣に取り組むべきだという思いを強くしました。これだけ激しい反発があるということは、それだけ重要性があるということだと思うようになったわけです。そこで、観光の哲学的な意味について真剣に考え、理論化する必要があると思いました。

観光の重要性は年々増しています。たとえば国連は二〇一七年を「持続可能な観光の国際年」に指定しています。いまでは、観光を通して社会を改善しようとする運動や活動も多数あります。ひと昔まえは、観光は経済的な余裕のあるひとたちが楽しむ、社会的に意味のない活動とみなされていました。けれども、いまはそういった見方が変わりつつあります。だから哲学的に掘り下げていく価値があります。

これから、観光は哲学的にも重要な概念になっていくでしょう。そもそもひとが観光するというのは、とても興味深い現象です。さきほどもいいましたが、観光地に行くとき、みなすでにその場所について知っている。にもかかわらず訪れ

★4　韓国文化体育観光部主催の公共デザイン国際シンポジウム「Hello, Stranger」、二〇一七年一一月一一日、文化駅ソウル284。

る。「富士山っていったいどんなかたちをしているんだろう」と思って富士山に行くひとはいません。では、なぜ知っている場所にわざわざ行くのか。観光客はそもそもなにをやっているのか。これは、知識とはなにか、欲望とはなにかといった問いと関係する興味深い問題です。ところが、哲学者たちはこの問題についてほとんど考えてきませんでした。

――『ゲンロン7』の連載コラムで紹介したように、韓国でも海外への旅行者が急激に増えています［★5］。

もともと、日本は観光先進国といえると思います。江戸時代にすでに「お伊勢参り」のような大衆観光の萌芽がありましたし、戦後も国内観光はたいへん栄えた。日本はどこにいっても国内客向けの旅館があります。日本人はもともと観光が好きだったはずです。ただ最近では、長い経済的停滞のせいで、若いひとは観光にあまり関心を示さなくなっていますね。だから日本国内の文脈だと「なぜいま観光？」となってしまう。

けれども、繰り返しますが、世界的にはいまこそ観光が急成長しています。国際的な文脈では「観光という問題」はこれからが重要になっていくはずです。

5 誤配から観光へ

——『弱いつながり』で「誤配」を「観光」と接続させたことは、「誤配」という概念自体を更新し、その射程を大きく広げました。『存在論的、郵便的』における「誤配」は「ネットワークの効果」としての側面が強く、どちらかというと人間はそれを受け取る側に位置づけられている。一方、『弱いつながり』では「誤配」としての「観光」が論じられ、人間の行為としての「誤配＝観光」という側

★5 安天「韓国で現代思想は生きていた#22 日本を旅する韓国?」、『ゲンロン7』、二〇一七年。

面を浮き彫りにしているように思います。「誤配」概念の更新とその意図しているところを聞かせてください。

そうですね。ぼくがいま考えているのは、「能動的誤配」とでもいうべきものなのかもしれません。その可能性を模索しているところです。

能動的に誤配するという表現は逆説を含んでいます。「誤配」を意図的につくり出すのは本来は不可能です。でも、誤配が起こりやすい状況をなんとかしてつくり出せないか、というのがぼくがいま考えていることです。観光もそのひとつです。

ひとつ補足します。『弱いつながり』と『観光客の哲学』ではあまり取り上げませんでしたが、「誤配」や「観光」について考える背景には「責任」の問題があります。ぼくは一九九〇年代に大学院で、フランスの哲学者、ジャック・デリダを研究していました。当時はデリダを倫理的に解釈するのが流行し始めていた時期で、「責任＝応答可能性」という概念が注目されていました。倫理というのは、自分の行動へのあらゆる問いに応答することであり、それこそが責任を取ることだ、という話がよくされていました。

この発想は、いわゆるポリティカル・コレクトネス（政治的正しさ）の議論と結びつきやすく、いまも強い影響力をもっています。でも、ぼくは、デリダの思想をこういう方向で解釈する議論をとても窮屈に思っていた。むろん、日常的な意味では、責任とは応答可能なことだし、倫理とは責任を取ることです。でも人間の本質について考える哲学者が、そんな常識的な議論で満足していたのだろうか。そもそも、人間は自分の発言すべてに責任なんて取れるはずがない。たとえば、一〇年まえの自分の行動にすべて責任が取れるかといえば、取れないのが人間の本質だし、だからこそ人間には「自由」があるのだと思います。これは、ひとは無責任になってもいいということではありません。ひとはできるだけ責任を取るべきです。でも、人生には予想外のことも起こるし、人間は変化する。あるていどまでは責任を取れても、全面的に取ることはできない。ぼくは、むしろ、そのずれこそが、人間という存在の本質を規定しているのではないかと思います。

そういうことをいうために、ぼくはずっと「誤配」という概念を使いつづけてきました。

人間のやることは、つねに予想外の効果を引き起こします。それに対してぼくたちは責任を取ろうとしなければいけないが、しかしその効果もまたつねに予想外のものだから、すべての責任を取ることはできない。そんな限界を表現しているのが「誤配」という言葉です。これは、ある種の無責任さ、軽薄さ、不真面目さの積極的な捉えなおしでもあります。

このような思考が観光と結びつくようになったのは、やはり福島の問題がきっかけです。『福島第一原発観光地化計画』への批判が高まったとき、ぼくがいわれたのは「福島について責任をもって発言したいなら、福島に来て住め」といったことでした。たとえば、社会学者の開沼博さんというかたがいます。彼は福島出身で、最初は『福島第一原発観光地化計画』の共著者でしたが、のちにぼくを批判する立場に変わったひとです。

ぼくは開沼さんと二〇一四年に「毎日新聞」で往復書簡のやり取りをしました。

そのときに彼は、作家の柳美里さんは東日本大震災後に福島の南相馬に移住した、福島についてなにかをいうのであれば移住するべきだという趣旨のことを書いた。ぼくはこの論理は非常に暴力的だと感じました。「福島について意見をいいたいなら移住するべきだ、実際に移住したひとがいる」。そういわれたら黙るしかありません。実際ぼくは移住するつもりはないので、黙ることにしました。けれどもこのような応酬はなにも生産しない。開沼さんの言葉は、ぼくを黙らせるためだけに発せられている言葉でした。

福島については、この例にかぎらず、ある時期から議論封殺のための言葉がたくさん発せられるようになりました。そのとき、もういちど無責任さや不真面目さの価値を捉えなおさなければいけないと思いました。無責任であるがゆえにコミュニケーションできるとか、無責任であるがゆえにコミットすることができる、といった「中途半端な実践」の価値を積極的に定義する必要があると考えました。その過程で出てきたのが、観光という概念です。

いま思えば、『存在論的、郵便的』を書いたころは、誤配は「自然に」生じると考えていたように思います。けれどもその後、状況が変わり、いまは、誤配というのはむしろ放っておくと生まれなくなる、だから誤配を増やすように人工的に環境を整えなければいけないという考えに変わってきた。ゲンロンやゲンロンカフェでやっている活動は、そういう環境づくりです。

さきほどもいいましたが、この変化の原因のひとつはインターネットです。インターネットが登場したことにより、ワンクリックで目的の情報に出会い、それでわかった気になれるようになった。なにかを調べようと思ったときに、寄り道したり、アクシデントが起きたりして、いろいろと思考の可能性が広がるようなきっかけがなくなってしまった。誤配が生まれなくなりました。

最近冗談で、「ゲンロンカフェは、TEDでは三分でしゃべっていることを三時間かけてしゃべる」といっています。TEDは、まさに誤配のない、準備が整った、明確な目的をもったプレゼンテーションです。他方でゲンロンカフェは無駄話の空間です。三時間の会話は、TEDの観点からしたらほとんどが無駄でしょう。けれども、そんな無駄な情報に見えるものが、観客に思わぬ思いつきを与え、次のイノベーションにつながるかもしれない。哲学はつねに一見無駄話に思われるところにあります。ぼくは、そのような誤配＝出来事のためにゲンロンカフェを運営しています。だから、無駄話といっても、ほんとうのただの無駄話になってはいけないんですね。そこはバランスが重要で、このバランス感覚こそが誤配を生み出すといえるかもしれません。

――あらかじめ決められた明確な目的を実現するのではなく、結果的に人々の考えかたやアイデアを活性化することを意図していると。

はい。能動的誤配というと言葉遊びをしているように聞こえるかもしれませんが、ぼくにとってはきわめて具体的な問題です。誤配が起きやすくするには何時間話すのがいいのか、どのようなしゃべりかたをするのがいいのか。それらを具体的に考えながらゲンロンカフェを運営しています。

ぼくは「誤配が起こる領域」にこそ哲学の本質があると思います。ＴＥＤはプレゼンテーションであって、哲学ではありません。哲学はつねに一見無駄話に思われるところに宿る。ぼくが福島に取材ではなく「観光」に行くべきだと主張したのも、そのような考えにもとづいてのことです。ジャーナリストは目的をもって取材先に行きます。けれども、目的をもって行くと、結局は目的を満たすものしか撮影せず、記事にしない。

ぼくはこのことに二〇一三年のチェルノブイリへの取材で気づきました。チェルノブイリには原発事故の記念公園があり、キエフには大きな事故博物館があります。ぼくたちの本ではそれらの場所を大きく取り上げましたが、当時の日本ではそれはほとんど紹介されていませんでした。ぼくの推測するに、おそらく日本人のジャーナリストの多くは、最初から子どもの甲状腺がんや健康被害を取材するためにチェルノブイリに行き、そのイメージに符合するひとや場所しか取材しないのだと思います。そういうジャーナリストたちに向けて、効率よく取材先を紹介する現地のガイドもいるのでしょう。実際、ジャーナリストが海外取材で「自由」になるのは非常にむずかしいと思います。もともとよく知らない土地に行くのだから、現地のひとに案内してもらわなければどこにも行けない。そして、どんなひとに案内してもらうかが決まった段階で、記事の方向性はかなり定まってしまう。

だから観光が必要なのです。自由を確保するためには、余裕があるスケジュールを組んで、現地で「無駄な時間」を確保する必要がある。たまたま出会ったひとに案内されたり、たまたま紹介された場所に行ったりといった偶発的な要素を取り入れる必要があるのです。そういう条件が揃ったとき、はじめて真実は多面的に捉えられるようになり、報道の多様性も確保される。ぼくはそういう条件を「観光客的」と呼んでいます。

ぼくはチェルノブイリを自分で取材し、そのときの実感として、観光客的であることは非常に大事だと思いました。そのような構えがないと、目的にあった結論しか出てきません。社会をよくするためには、さまざまなひとたちが、観光客的な視線で、中途半端な知識でいろいろなことを無責任に話せる環境を整えることがとても重要だと思います。

――「哲学はつねに一見無駄話に思われるところにある」という言葉が非常に印象に残ります。あるいは、この本の根幹をなす文言かもしれないという気がします。わたしたちの時代において「無駄」とはなんでしょうか。この「無駄」は、ほとんどの人々にとってなくてはならないものだと思うのですが。

無駄とは誤配のことです。いいかえれば「目的に到達しないこと」です。これはべつに哲学的な概念ではありません。概念以前の、きわめて日常的な経験の名前だと思います。たとえば、ある本を読みたいと思ったとする。ネットではすぐに見つかります。だから誤配あるいは無駄がありません。けれども現実の書店や図書館では目的の本が見つかるとはかぎらない。そして、その本を探す過程のなかで、まったくべつの本に興味を引かれたり、思いがけない友人に出会ったりする。それが誤配であり無駄です。そのような無駄がない世界においては、ひとは最初に自分が想定したこと以上の出来事に出会うことができません。そこにはほんとうの意味でのクリエイションはないし、思考もないのです。

6　ポストモダンにおける思想の敗北

——『観光客の哲学』では「個人→社会（国家）→普遍」というヘーゲルの弁証法的な枠組みに収まる近代的な人間観の例として、カール・シュミットやアーレントが取り上げられています。そのうえで、弁証法の構図に回収されない、すなわち「国家」を経由せずに普遍にいたる回路を構築する行為者として提示されるのが、「観光客＝郵便的マルチチュード」です。これは、かつてポストモダニストたちが試みた脱構築と類似しているように見えます。他方、同書ではポストモダニストについて「なにひとつ脱構築されていないし、なにひとつ変わっていない。ぼくはその状況に思想の敗北を見る」という厳しい評価を下している〔★6〕。いまの東さんのポストモダニズムに対する見解をお聞かせください。

昨今、世界的な規模で見られるポストトゥルースやフェイクニュースといった現象は、きわめてポストモダン的な社会現象であり、このような現象を分析するにはポストモダニズムの用語は非常に有効だと考えています。ポストモダニズムの哲学的な魅力、可能性は汲み尽くされていません。たとえばドゥルーズ、デリダ、フーコーといったひとたちの本はまだまだ読むに値すると思っています。

ただ、ほんとうに重要なのは実践だとも思っています。たとえばドゥルーズを読んで「ノマド」なる概念が大事だと知ったとして、そこでノマドが大事だという文章を書くことと、ノマド的な行為を行うことは異なります。ところが、ポストモダニストはこのちがいについてとても鈍感です。いまのポストモダニストの最大の問題は、自分の思想をどう実践すればよいのかについてなんのアイデアもないことです。彼らは一見ラジカルなことをいっていますが、それは全部大学のなかで閉じこもっていっていることにすぎません。だから彼らは「文化左翼」と批判されるわけです。これは日本だけでなく世界的な傾向です。そしてそれが結果としてポストモダニズムという思想の社会的信頼を落としている。ポストモダニズムについては、主張の内容についてはまだ吟味の可能性があると思う一方、ポストモダニストのふるまいからすると信頼が落ちるのは当然だ、というのがぼくの考えです。

『観光客の哲学』では弁証法的な成熟モデルに収まらない、市民たちの自由なアソシエーションが大事だといっています。たしかにこれはいかにもポストモダンな主張ですが、ぼくはそのためにゲンロンカフェをやっています。むろんそれは小さい運動です。でもやらないよりはいい。大学から給料をもらいながらアソシエーションが重要だと叫び、それで満足しているだけのひとたちを見ると、どこまで本気なのかと疑ってしまいます。

――ポストモダニストたちは主張と実践が乖離しているということでしょうか。

★6　東浩紀『ゲンロン0　観光客の哲学』、ゲンロン、二〇一七年、一一一頁。

そうです。いっていることとやっていることがちがいすぎます。人文学の研究者は一方で国家を批判する。けれども、現実では文学部が危機に瀕し、美術館が閉鎖されかねない状況になると、デモをして国家に支援を要求する。これではつじつまが合わない。自由な知のアソシエーションを唱えながら、他方でそのために国家の支援を欲しがるというのは、子どもでもわかる矛盾です。でもみんなそこは見ないふりをして、それが矛盾でないかのような小むずかしい理屈をつくっている。信頼を失うのは当然だと思います。

――「ポストモダニズムで重要なのは『実践』だ」というお話はそのとおりです。また、その重要性を横に置いて考えてみても、文章と言葉だけでラジカルな立場を表明する、大学やマスコミという制度内部にいるひとたちは偽善者に見えます。ただ、もう一方で文章や言葉はまったく役に立たないのではないかという無力感を感じ、悲しくなるのも事実です。

ぼくはむしろ、言葉が無力だとは思いません。言葉は誤配の宝庫です。ぼくたちは誤配のなかに生きていて、だからこそ豊かになれる。ゲンロンのお客さんには、じつにさまざまな職業や年齢のひとがいます。彼らはけっして、最初から哲学を求めていたひとばかりではありません。でもいつのまにかゲンロンにたどり着いてしまった。哲学は、そういうひとにこそ話しかける言葉であるべきだと思います。正しいことがわかるひとに向かって、正しい言葉だけをいう、それこそ哲学ではないでしょう。

7 近代的主体なき時代の主体

——二〇一二年に、『一般意志2・0』の韓国語版刊行にあわせてお話をうかがったとき（第1の対話）、東さんは「モダン／ポストモダン」の枠組みを重視する理由を話してくださいました。『観光客の哲学』では「モダン／ポストモダン」の区分が、「国家／グローバル」という弁証法的な関係をもたず併存する二層構造として再定義され、基本的な世界認識として提示されます。この二層構造という現実のなかで、国家や理念といった大きな物語にもとづく近代的な主体になる道（ヘーゲル的人間観）を拒否しつつ、いかにして主体になりえるか、いいかえれば普遍を構築できるか、という問いを発し、その答えをかたちにしようとする試みが、『観光客の哲学』の核心です。この切実な問いかけは、どのように生まれたものなのでしょう。

さきのポストモダニズムの話と深い関係があります。大きな物語にもとづく主体というのは抑圧的で暴力的だからだめだとして、ではほかにどのような主体のありかたがあるのか。その問いに対して具体的で実践的な解答を提示しなかったことが、ポストモダニズムの問題点だと思います。

現実を見ると、近代的な主体、すなわち国家、理念、大きな物語といったものを経由することなく大人になり消費者として行動しているひとはいっぱいいます。その典型的な例が、いわゆるスキゾキッズでありオタクです。

ただ、そのような人々は、知識人や人文学に関心のある大学生とは無関係な場、サブカルチャーやネットの場にいます。それがぼくが『動物化するポストモダン』で指摘したことです。ほんとうはポストモダニストは、そんな彼らの生きかた、彼らの存在様式からどういうポジティブな教訓を引き出せるかを考えなければいけなかった。けれども、彼らはそれについてなにも考えてこなかった。ポストモダニストたちは、国家を介することのない自由な主体のアソシエーションといいながら、実際には国家を介することなく大人になった人々をまったく評価しようとしなかった。

ぼくは『観光客の哲学』では、この『動物化するポストモダン』の問題意識を引き継いで議論しています。二層構造論も原型は『動物化するポストモダン』にあり、そこですでに「動物と人間の解離的共存」を論じています。この論点は当時あまり注目されず、あの本は日本では「みんな動物になればいいという話ですか？」というふうに受け取られました。でもほんとうの要点は二層構造にありました。それを深めたのが『観光客の哲学』なのです。

現代に生きるわたしたちは、一方ではまだ国家や理念といった大きな物語に仮託した主体を生きています。けれども他方で、日本人である、または韓国人であるといったことをまったく自覚しないまま、快楽に導かれて消費者として行動している「私」もいる。それはどちらが優位ということではなく、たんに共存している。それこそが二一世紀の主体です。両者のバランスをどうやって保っていくかが、いま大事な課題だと思います。

近代の論理においては、快楽に導かれる動物的主体は、成熟する過程で抑圧され克服すべきものとされていました。でもいまは、その要請自体が非常に暴力的だったこともわかってきています。たとえば、最近はＤＶやハラスメントが大きな社会問題になっています。ＤＶやハラスメントは、かつてはプライベートな問題であり、公の場にふさわしくないものとみなされ、黙殺されていました。公の場ではそのような問題はないかのようにふるまい、政治や天下国家といった問題のみを語るというのが求められる「成熟した市民像」でした。これはまさに、人間の部分と動物の部分の分割です。ところが、いまやその分割こそが暴力的であり、性差別的だったということが認識されはじめている。ハラスメントやＤＶの問題は人間が動物的な主体を完全には抑圧できないことを意味しています。人間はときに自分の感情を抑えられないし、動物的な欲望にもとづいて短絡的に行動してしまいます。そのような側面も人間の本質のひとつであり、社会のありかたに大きな影響を及ぼしている。わたしたちはそう認識する必要に迫られています。

これは人間の動物的側面を野放図に認めるということではありません。それは管理しなければならない。でも管理のためには、抑圧して不可視にするのであってはならないということです。つまり、人間の人間的な側面と動物的な側面との関係を、ヒエラルキー的に捉えるのではなく、ふたつの異なる原理にもとづいているものとして捉えたうえで、両者がどうつながっていて、どうバランスを取っているのかについて考えなければいけないのです。

そういうことを『観光客の哲学』では議論しています。そして、観光を、人間の動物的な欲望をうまく利用し、人間の人間的な成熟を支援する実践の例として提示している。観光を通して、人間の動物性を人間の人間性へと「誤配」することができないかと、ぼくは考えているのです。

8　人文学とプラットフォーム

——『弱いつながり』ではグラノヴェッターの「強い絆／弱い絆」概念を導入し、人間関係のネットワークがもつ意外な特徴と、それがもたらす効果を踏まえながら、偶然性に開かれた生きかたを指南していました。そして『観光客の哲学』では、「スモールワールド」や「スケールフリー」など、本格的なネットワーク理論を駆使し、言葉どおり現在の社会のメカニズムを根本的に捉えなおし、浮き彫りにしようとしています。この試みは、既存の人文学がほとんど提示してこなかった社会と個人との新しい関係性を示唆しており、さらなる展開が期待されます。

ネットワーク理論と人文学の結合は、今後さらに生産的な知的成果を生む可能性がある。もしベンヤミンがいまを生きていたら、まさにそのような研究をするのではないか。しかし一般的に見ると、人文学は人間と社会の関係性を多層的に考えることを最優先とする学問であるにもかかわらず、ネットワーク理論のような新しい分野の成果をなかなか導入できないでいるように見受けられます。なぜでしょう。

その理由はぼくも知りたいぐらいですが、こういうことかもしれません。たとえば、映画を見ることと、ゲームをプレイすることはまったく異なる体験です。でも、両方とも映像という点では同じように見えるし、実際に映画理論でゲームを論じる試みもあります。あるいは、いわゆる純文学を読むこととライトノベルを読むこともかなり異なる経験ですが、これも同じ小説だということで同じアプローチで研究しているひとが多くいます。つまり、このように、表現そのものとして見れば似ているけれども、消費の質がまったく異なるといったタイプの差異に、人文学者は気がつきにくいように思います。そうすると、いつまでも古い理論で新しい現象を分析できる気になってしまう。

たとえば『動物化するポストモダン』では「二次創作」について語っています。あのような現象もまた、いままでの人文学では語りにくいものです。マンガの研究をする場合、古典的な研究者であれば、あたりまえですがまずは作品を読みます。そしてそれで満足して、そのまわりに広がる消費者どうしの関係にはあまり関心を向けない。消費者がその作品をどう活用しているのか、作品のまわりにどのようなコンテクストがつくられ、そのコンテクストを利用して消費者がどのような行動をするのかといったことを、「作品自体」とは無関係のものとして議論から除外してしまう。けれども、『動物化するポストモダン』で強調したように、そもそもポストモダンの文化現象というのは、作品だけではなく「作品を消費するひとたちの行為」を視野に入れてはじめて意味を捉えることができる、そのような構造をもっているものなのですね。

もうひとつ例を挙げます。たとえばツイッターが重要だと考える研究者がいたとします。そのとき、だれかのツイートをプリントしてその内容だけを研究しても、けっしてツイッターの本質はわからない。ツイッターの書き込みは、ツイートするタイミング、リツイートをはじめとするリアクション、そのほかさまざまなコンテクストがあって、はじめて意味を読み解けるものだからです。このような見かたの転換があってはじめて、いま質問されたようなネットワークの科学は研究に役立ってくる。逆にいえば、人文学の研究者たちがコンテンツのみを重視する古いパラダイムにこだわっているかぎり、彼らはそのような科学に関心を抱かないでしょう。

――重要なテーマをいくつか示してくださいました。大きく「二次創作」と「人文学の研究方法」というふたつの質問に分けておうかがいします。まず「二次創作」についてですが、『動物化するポストモダン』で論じられたこの「二次創作」という考えかたが、SNSやモバイルゲームだけにとどまらず、スマホによって日常に入ってきたいま、それはどのように変わったとお考えですか。東さんが最初に論じられた時期を「インターネット」というキーワードで捉えたとして、現在を「ポストインターネット」というキーワードで捉えると相当大きな変化が起こったように思われます。

ぼくはその点では、この二〇年間で本質的な変化が起きたとは思っていません。SNSやスマホの出現は、世界のポストモダン化、消費者の動物化を変わらず推し進めていると思います。

——もうひとつの質問です。人文学が構築してきた従来の研究方法から抜け出さないと、現実を直視できないということでしょうか。

そうです。人文学には歴史的に確立してきた研究方法があります。それはそこそこ普遍性が高い方法論なので、新しい現象が台頭してきても応用できてしまう。「ゲームは映画の新しいジャンル」「ライトノベルは文学の新しいジャンル」「マンガは美術の新しいジャンル」といった捉えかたで処理できてしまう。だから逆に消費様式の変化を読み取ることができない。『動物化するポストモダン』を書いてからもう二〇年近く経つので、すこしは変わっていてほしいのですが、日本でもこの点はまだまだだと思います。

これは、べつの観点から見ると、コンテンツとコミュニケーション（アーキテクチャ）の問題だともいえます。人文学はコンテンツを研究する学問で、「作品」という明確な境界をもった対象を深く読んでいくのが使命です。だから、たとえば「ニコニコ動画」がおもしろいというと、人文学の研究者はニコニコ動画のどの動画を見ればよいのかと考えてしまう。でも、ニコニコ動画はコンテンツ自体がおもしろいというよりも、コンテンツのまわりに用意された機能を活用してさまざまな行為者がコミュニケーションを行う、その仕組みがおもしろいものなんですね。そこに決定的なずれがある。

――人文学が構築してきた方法論自体がコンテンツの読解を目的としているの

で、コミュニケーションやその仕組みのもつ意味を汲み取れないという傾向があると。

そのとおりです。とりわけ新しい情報技術に関する議論では、個々のコンテンツはさほど重要ではないことが多いものです。ユーチューブのすごさは、そこに投稿されている動画にはありません。プラットフォームの革新、仕組みの革新こそが刺激的な部分です。だから、仕組みそのものをおもしろいと思えるかどうか、という感性のちがいが重要になってくる。

この感性のちがいはなかなか深刻です。たとえばぼくはいま「ゲンロンスクール」という一種の学校を開いていますが、そういう活動を始めると、どれくらいすばらしい才能が出てくるのか、と尋ねてくるひとが必ずいます。

率直にいって、才能が出てくるか出てこないかはわかりません。むしろ大事なのは、そのような新しい場があるとジャンルが活性化するということです。つまり、ぼくは仕組みをつくっている。コンテンツにしか関心がないひとは、いくら説明してもその重要性がわからない。ぼくの個人的な経験では、とくに出版社の編集者がそうです。そういう話を聞くたびに、ぼくの試みを理解してもらうのはむずかしいと感じます。

ぼくは、批評や人文知を復活させるために大事なのは、まずは書き手より読者だと思っています。読者がいなければ書き手も存在しません。いま日本で批評や人文知が苦境に陥っているのは、要は読者が減っているからです。だから読者こそ再生する必要がある。書き手を養成するのではなく、まずは批評や人文知が好きなひとたちをつくらなければならない。ぼくはそのような考えをもってゲンロンやゲンロンスクールを運営しているのですが、理解してくれるひとがじつに少ない。すごい論文を読みたい、すごいひとが現れてほしい、といったひとばかりで、読者をつくり上げることの重要性を理解しているひとはほとんどいない。このことが人文知の衰退の理由だと思います。人文知の未来について考えたとき、コンテンツからプラットフォームやアーキテクチャのほうへ発想をシフトすることは、理論的にも実践的にもとても重要です。

――現実の人間のいまのありかたを見るには、その方向へ関心をシフトする必要がありそうです。

人文学が残るためには、まずは人文学が残る仕組みをどうつくるかを考えなければなりません。天才が現れることを夢見ている場合ではありません。ところが出版界はそういう夢を見ているひとたちばかりです。ぼく自身にそういう期待を向けるひともいて、すぐに「つぎはなにを書くんですか」と聞いてきます。

でもそれは的を外しています。たとえば『観光客の哲学』は、ぼくのゲンロンでの実践と切り離せない本です。内容もそうだし、出版の形式においてもそうです。つまり『観光客の哲学』は、ゲンロンやゲンロンカフェの実践とワンセットで読まれるべき本なのです。このような文脈をまったく理解しないまま「つぎはなにを書くんですか」と質問を受けると、がっかりしてしまいます。

とはいえ、理解は少しずつ広がっているのかもしれません。最近、『観光客の哲学』

が毎日出版文化賞を受賞しました。そのとき光栄に思ったのは、授賞式で選考委員長の鷲田清一さんが、ゲンロンという会社の試み、ゲンロンカフェの試みについて触れてくださったことです。実践も含めて評価してくれた点でとても光栄に思いました。韓国ではこの本は『観光客の哲学』というタイトルだけで刊行されるとのことですが、日本でなぜそこに『ゲンロン0』という妙なタイトルがついていたのかは、韓国の読者の方々にもすこしだけ考えてほしいと思います。この本は、まずはゲンロンの試みを哲学にした本なのです。だから、この本に影響を受けて、韓国でもゲンロンカフェのような試みを始めるかたが出てきてくれるととてもうれしく思います。

日本と韓国の論壇のあいだには、まだ大きな距離があります。韓国では日本の本はかなり翻訳されているようですが、日本では、韓国の思想界でどのような本が読まれているのか、どのような議論がなされているのかまったくといっていいほど知られていません。ゲンロンに類似する韓国での動きがあれば、両国のあいだで、友と敵の対立を超えた新しい関係性をつくり出すことができるかもしれない。両国のあいだではつねに政治的な友敵関係が話題になっていて、大学や出版社もそのような枠組みから自由ではありません。そのような環境においては、ゲンロンのような「脱政治的」な組織による、草の根のレベルでの交流のほうが有効かもしれません。

――東さんのゲンロンは大まかに見ると「小規模出版社」「インディーズ出版社」のカテゴリーに入ると思われます。奇しくも、この本を韓国で刊行する「ブックノマド」もひとり出版社です。発行人が、美術大学の兼任教授職を今年やめたのも、「ブックノマド美術学校」というオルタナティブな教育機関を運営しているのも似ています。韓国のインディーズ出版社・書店は、経済不況時代を生きる若者にとって現実のなかでの突破口、現実における自助・自営業という性格が強いのが特徴です。東さんの見解として、日本のインディーズ出版社にはどのような特徴があると思われますか。

ゲンロンはほかの出版社とあまり交流がないので、日本の独立系出版全体の話はできません。ブックノマドさんとは似た試みをしているのかもしれません。このような共同作業ができて、うれしく思います。

9　近代化の辺境から

――東さんは二〇一五年から、『ゲンロン』という名の思想雑誌を出版し、編集長を務めています。誌面では韓国の美術やダークツーリズムを論じたり（『ゲンロン2』『3』）、韓国の批評を二回にわたり翻訳掲載したり（『3』『4』）、ロシアの現代思想についての特集を組んだり（『6』『7』）と、日本であまり紹介されてこなかった国の人文知の動向を取り上げています。大手出版社の文芸誌でもなかなか見ない企画ですが、どのようなねらいがあるのでしょう。

理由は単純です。英語圏、ドイツ語圏、フランス語圏に関しては日本には専門家が溢れるほどいて、そこに入っていくことはできない。それらの言語圏ではさまざまな翻訳がすでになされているので、ゲンロンのようなインディペンデントな雑誌がわざわざ紹介を行う必要はないと思います。

ただ、それだけでもなく、積極的な理由もあります。それは、なによりも、ぼく自身が「辺境」に関心があるということです。日本自体が世界の辺境だし、韓国とロシアも大きく見ると辺境ということができます。そしてそういう辺境における近代化に関心をもっています。

日本ではぼくより上の世代のひとたちは、思想や哲学についても、欧米から最先端の知識を輸入して、それに追いつき追い越すという考えかたで捉えてきました。でもぼくは、欧米の思想がずっと最先端にあるのではなく、それがさまざまな国に伝播していくなかでさまざまにかたちを変えていく、そしてかたちが変わったものどうしがもう一回あちこちでぶつかってお互いに影響を与えあうことで、総体としてさきに進むというイメージをもっています。だから、最先端の思想を紹介しようという考えかたがぼくにはあまりない。最先端という考えかた自体がなく、いろいろ変形しているものを、お互いに組みあわせたいという発想です。

──「二次創作」と似た考えかたですね。

たしかにそういう側面があるかもしれません。それは、ぼくが世界に対して、根本においてもっている態度なんでしょう。最先端のひとがどこかにいて、それに正しく追いつきたいと思うのではなく、それを「まちがって」解釈してしまった辺境の思想を読むほうがおもしろい。それもまた「誤配」です。日本も、韓国も、中国も、ロシアも、ある意味で近代西欧の二次創作であり、西洋思想を「誤配」された国々だと思います。だとすれば、そのような二次創作どうしをつないだほうが、オリジナルを超えられるのではないか。このような考えがゲンロンの紙面に反映されている。

この点では、ぼくはすこし変わっているのかもしれません。中心に向かって行こうと思わず、つねに中心のちょっと横にいたい。

――二極のどちらでもない場所を追求することともかみあう。

そうですね。そもそも哲学者とはそういうものではないかと思います。二極のどちらでもない場所、友と敵のどちらでもない地点。それはもともとソクラテスもいた地点だし、それを追求するのが哲学の責務だと思います。そして、現在の世界を見ていると、その責務はいま実践的にとても重要になっている。その点では、いまほど哲学や批評が必要とされている時代はないのかもしれません。

残念なことに、多くのひとたちは、哲学や批評というものは友と敵どちらかの立場に立つものだと思っている。まずはそこから考えを変えてもらうべく、活動していきたいと思っています。

――東さんの登場もそうですが、どんな国家や社会も「スター知識人」が同時代について評価してくれることを望むようです。浅田彰、見田宗介、大澤真幸、宮台真司、古市憲寿、佐々木中、千葉雅也など、日本はとくにそのような傾向が強いように思われます。そういう面で、東さんはみずから有名知識人の歩む道から脱しようとしているように見えるのですが、それがわたしたちの時代の来るべきテーマと関連があるように思えてなりません。

おっしゃるとおり、日本では「スター知識人」を求める傾向がいまだに強いです。ゲンロンカフェでも、そのようなかたが登場するとお客さんがどっと増えます。ビジネスである以上、ゲンロンもあるていどはその現実に合わせていかなければいけません。けれども、ぼく個人としては、早く、そのようなカテゴリーによってではなく、独立した哲学者として評価されるようになりたいと思っています。

哲学とはそもそも、「同時代の現実」に直接に対応するものではありません。むしろ現実から距離を置くものです。そのような距離があるからこそ、ほかのひとには見えないものが見える。哲学と現実の関係は、本来はそのようなものです。

「スター知識人」を求める人々は、哲学についてなにか本質的に誤解しているように思います。

——自分の感覚が古びたと思ったことはありますか。

いつも思っています。だって、ぼくはもう五〇歳近いのです！　若いふりをすることはできないし、すべきでもないでしょう。

10　韓国の読者へ

——最後に、東浩紀の本を読んでいる韓国の読者に向けて、メッセージをお願いします。

自分の名前が韓国でどれほど知られているのか、ぼくはわかっていません。たぶんたいして知られていないだろうし、知られていたとしても、ポストモダニストの残党で、政治的には日和見のオタク哲学者と思われているのではないかと思う。日本の学者でもぼくを批判しているひとは多いので、そのようなひとに聞けばそう答えると思います。

けれども、あたりまえですが、ぼくはそれは誤解だと思っています。自分でいうのもなんですが、ぼくはおそらく、日本でもっとも、ポストモダニズムを真剣に受け止め、その実践的価値をまじめに考えている哲学者のひとりです。さきほどポストモダニズムについて触れた際に話したように、日本のほとんどの学者は、なにも実践を伴わず、口だけでラジカルなことをいっています。ぼくはそれを批判しています。だから逆に批判される。

ただ、ぼくの批評的な実践は、一般に思われているような「政治の実践」ではありません。記者会見も署名運動もデモもしません。だからわかりにくい。とくに国外からはわかりにくいと思います。今日は、それがどういう意味をもつのかについて、できるだけ嚙み砕いてお話ししました。デモに行くことだけがアソシエーションの実践ではありません。二一世紀の消費社会には、デモとは異なるかたちの、さまざまなアソシエーションの方法があります。それを組みあわせてどのような新しい空間をつくるか。ぼくの本はその実践のためにあります。

韓国では、ゲンロンもゲンロンカフェも知られておらず、ぼくが書いた本がほかのひとたちの本といっしょに並ぶだけだと思います。だから、あまりぼくの特異性は伝わらないかもしれません。けれども、もしこのインタビューがすこしでもおもしろく感じられるのであれば、ぜひ東京に来ていちどゲンロンカフェをのぞいてみてください。そしてまた、韓国でもゲンロンカフェのような場所をつくることを考えてみてください。ぼくはそのような人々と、いつでも連帯したいと思っています。

講演

データベース的動物は政治的動物になりうるか

——『ポスト・モダンの条件』出版40周年によせて

2019年11月10日

1

ジャン＝フランソワ・リオタールの『ポスト・モダンの条件』の出版から四〇年ということで、ユク・ホイより講演を頼まれた。ぼくが最後に同書を読んだのも『動物化するポストモダン』を書いたころだから、もう二〇年近くまえになる。ポストモダンも長くなった。

そこであらためて読みなおしてみたのだが、広範な影響力をもった著書だけあって、さすがに予見的な記述が数多くある。たとえばリオタールは同書の冒頭で、ポストモダンの知（知識）はもはや教養の形成とは関係がなく、たんに商品あるいは貨幣のように流通するだけであり、そこではコミュニケーションの「透明さ」こそが重要になり国家の境界は障害として立ち現れると記している。これはグーグル以降の知が置かれた状況を正確にいいあてている。

同書は『ポスト・モダンの条件』と題されているが、じっさいはカナダ・ケベック州の大学協議会に提出するために記された「報告書」であり（リオタール自身がこの言葉を用いている）、ポストモダンという時代の社会条件全体を扱った書物ではない。それゆえ、記述の多くは、ポストモダンにおける知、それも大学知の変化にあてられている。

そしてその点についても、リオタールはいくつも予見的なことを記している。たとえば彼は、ポストモダンにおいては「端末機の使用法、すなわち新しい言語の使用法」の教育が重要になるはずだと述べている。新しい時代の教育は、知識の内容を伝達するものではなく、「どこに質問を差し向けるべきか、知りたいと思うことに対する関与的な記憶はどれか、あるいは、誤解を避けるためにはどのように質問しなければならないか、などといったこと」を教えるものになるというのだ[★1]。ここで彼がいおうとしているのは、現在の言葉に置き換えれば、要は、

★1　ジャン＝フランソワ・リオタール、『ポスト・モダンの条件』、小林康夫訳、水声社、一九八六年、一二七頁。

これからは知識の多寡よりもネット検索の技術が重要になるだろうということである。日本では最近、若い言論人や経営者によって、もはや高校も大学も必要ない、グーグルの利用法さえ知っていればよいといった主張が、いかにも「イノベーション」であるかのように語られている。けれども、そんなことは四〇年まえにすでにフランスの哲学者によって指摘されていたのである。

とはいえ、現在からみたとき、本書の予測に、やはり外れた——といっていいすぎであれば、いささか的を外したところがあったこともたしかである。この講演では、その失敗の指摘からはじめて、いま『ポスト・モダンの条件』から学ぶべきことはなにか、ひとつの読解を提示したいと思う。

2

リオタールは『ポスト・モダンの条件』で「科学的な知」と「物語的な知」を

区別している。おおざっぱにいえば、前者は近代ヨーロッパで発達した自然科学を、後者はそこから排除された多様な知を意味している。後者には、哲学や文学、神話、歴史、文化人類学が発見した「野生の思考」などが含まれる。

このふたつの区別は、一般には科学と非科学の区別、すなわち「真理」に到達可能なすぐれた知と到達不可能な劣った知の区別として語られることが多い。けれども、リオタールは、両者の関係は優劣として捉えるべきではなく、むしろ「言語ゲーム」の性質の差異として捉えるべきだと考えた。言葉は、対象をきちんと名指し、真偽の判定可能な命題をクリアに記述する機能（この機能をなんと呼ぶかは哲学者によって異なるのだが、リオタールは「表示的 dénotatif」機能と呼んでいる）をもつだけではない。言葉には同時に、詩や隠喩、修辞疑問文や嫌味やあてこすりなどの存在に示されているように、さまざまな暗示的（connotatif）あるいは行為遂行的（performatif）な機能もある。人間の知の営みはほんらいはそれらさまざまな機能の組みあわせで成立しているのだが、「科学的な知」はそのなかでたまたま「表示という言語ゲーム」だけを隔離し、そのことによって成功を遂げたにすぎない。それがリオタールの科学観である。

　リオタールはこの前提のうえで、近代からポストモダンへの移行は、なによりもこのふたつの知の関係の変化として現れると論じた。科学的な知の言語ゲームは、近代においては、長いあいだ（二〇世紀に論理実証主義が現れるまで——そしてその試みも結局は成功しなかったというのがリオタールの考えだが）みずからの正しさの根拠をゲーム内部では根拠づけることができず、ゲーム外部の物語的な知に求めるしかなかった。ひらたくいえば、科学者がいままで、科学という名の閉鎖的で排他的な言語ゲームを公的な支援や巨額の資金を集めて「プレイ」することが許されてきた、その「正統性」はじつのところ科学の外部＝物語的な知によって支えられてきたというのである。具体的には、フンボルトによる大学の理念や啓蒙主義、マルクス主義などがその外部にあたり、リオタールはそれらをまとめて「大きな物語」と呼んだ。

　ところが、ポストモダンにおいては、まさにそれらの物語の有効性こそが失われてしまったようにみえる。もはやだれも大学を信じていないし、啓蒙も信じていないし、革命による人類の解放も信じていない。だとすれば、科学的な知という言語ゲームは、これからはいったいなにを根拠に「プレイ」されることになるのだろうか。いいかえれば、ポストモダンの科学者は、いったいなにを根拠に自分たちのゲームを正統化し、公的な支援や巨額の資金を調達することになるのだろうか。――あらためて確認すれば、それこそがリオタールが『ポスト・モダンの条件』で提起した中心的な問いだった。

さて、ぼくはさきほどリオタールの未来予測には外れたところもあったと述べた。その失敗はまさにこの問いへの回答に現れている。

どういうことだろうか。その問いへのリオタールの回答は、じつのところかなり入り組んでいる。それでも要約すれば、彼の結論は「パラロジーによる正統化」という表現に集約される。

パラロジーとは聞き慣れない言葉だが、ここでは複数の言語ゲームの衝突や重ねあわせを意味すると理解してくれれば十分である。その哲学的な深度を理解するためには、ほんとうは『ポスト・モダンの条件』から四年後、一九八三年に出版された『文の抗争』を参照しなければならない。けれどもこの講演ではそこまで踏み込む余裕はない。だから以下はあくまでも乱暴な、哲学的には不親切な紹介となるが、そのかぎりでいえば、リオタールがそこで展開したのは、ポストモダンにおいてはもはや物語的な知は機能しない（少なくとも科学的な知を束ねるものとしては社会的に機能しない）、科学的な知しか存在しない、つまり物語なき言語ゲームしか存在しない、だからそこにはほんとうはいっさいの外部がなく、したがって正統化も存在できない、けれども逆説的なことに、その正統化の欠如こそが科学という言語ゲームを分岐させ複数にし衝突を生み出し、発展の原動力になるのだというじつにアクロバティックな議論である。ひらたくいえば、ポストモダンの科学はすべてゲームでしかない、でもだからこそクリエイティブなのでオッケーだと、リオタールはそう主張したのだ。

この予測はあたったのだろうか。残念ながら、四〇年後のいま、このリオタールの主張を無条件で支持する研究者はほとんどいないのではないかと思われる。たしかに「大きな物語」はいまも復活していない。大学も啓蒙も信じられていない。けれども、だからといって、科学的な知を言語ゲームとみなし、その複数性を肯定する思考が広がったかといえば、けっしてそんなことはない。

じっさいに起きた変化はむしろ逆だろう。情報ネットワークが世界を覆い、ビッグデータ分析が統治の不可欠な技術となり、人工知能やマン・マシン・インタフェイスの革新が人間の概念を押し広げると語られているいまは、四〇年まえよりもはるかに科学的な知への信頼は高まっているように思われる。

それは大衆的な素朴な信頼にかぎらない。科学史や科学哲学における認識も大きく変わっている。リオタールはこの著作で、現代の科学的な知が不安定な言語ゲームでしかなくなってしまったことの傍証として、ゲーデルの不完全性定理や量子力学、ルネ・トムのカタストロフィ理論（カオス理論）などを挙げている。それらの学問の名は、当時は近代科学の限界や変質を示すものとしてしばしばとりあげられていたもので、その背景にはトマス・クーンの科学史研究やクワイン以降の分析哲学の革新（しばしば言語論的転回と呼ばれる）がある。それゆえ、そこでリオタールが名を挙げたのも、けっして彼独自の解釈や疑似科学的な曲解によるものではない。けれども、もし二〇一九年のいま、同じようにゲーデルや量子力学を参照して科学とはゲームにすぎないと主張する哲学者がいたとしたら、その人物はただちに笑いものになってしまうにちがいない。じっさいそれこそが、一九九五年にアラン・ソーカルがしかけた「事件」によって露呈した状況である。科学が言語ゲームのひとつにすぎないという主張は、いまや大衆的にも学問的にもまったく支持されていない。

リオタールは、ポストモダンにおいては科学的な知は正統性を失い、その社会的な支配力も相対化されると記した。現実には、科学的な知は正統性を失ったはずなのに、社会的な支配力のほうはますます絶対化している。リオタールはこの点で予測を大きく誤った。その予測こそが『ポスト・モダンの条件』の議論の中心だったことを思えば、それは残念な結果である。

3

とはいえ、この点でリオタールに対して非難だけを向けるのは不当でもある。というのも、『ポスト・モダンの条件』の論述を丹念に追うとわかるのだが、ここまで「予測」と呼んできたものは、客観的な状況分析にもとづく純粋な予測というより、むしろ哲学者自身の希望の表明のように読めるところがあるからだ。

ぼくはさきほど、リオタールは、ポストモダンにおいては科学的な知はすべてゲームとみなされるので、複数のゲームの衝突（パラロジー）こそが重要になると予測したと述べた。それはたしかにそうなのだが、じつは彼はその結論にたどりつくまえに、ポストモダンの科学的な研究や教育が、物語ぬきに、それぞれのゲーム内の「行為遂行性」のみを根拠に正統化される可能性についても検討している。

行為遂行性（performativité）もまたさまざまな検討が必要な概念である。そしてじっさい、それが複雑な概念だからこそ、前述のようなパラロジーの主張、すなわち、科学のゲームはそれぞれゲームとして閉じることができない、だからどうしても複数のゲームが並び立つのだというリオタールの主張が出てくることになる。けれどもそこに踏み込むとまた話が長くなるので、ここでは議論を単純にし、行為遂行性を「パフォーマンス」の意味で理解しておくことにしよう。「パフォーマンス」は、日常の言葉では効率や成果を意味することがある。道具を買い替えて仕事のパフォーマンスがよくなったとか、この店はコストパフォーマンスがよいとかいうときの、あの「パフォーマンス」である。リオタールによれば、物語的な知による正統化を失い、たんなる「プレイ」でしかなくなったゲーム化した科学においては、研究や教育はしばしばみずからの根拠をパフォーマンスに求めることになる。ひらたくいえば、公的な支援や巨額の資金を調達するために、自分たちはこれだけの論文を書いた、自分たちはこれだけの人々を教育した、自分たちの発明はこれだけの役に立っていると、国家と資本にむけてたえず成果＝

パフォーマンスをアピールしなければならなくなるわけである。あらためて指摘するまでもなく、リオタールのこちらの予想は完璧にあたっている。二〇一九年のいま、文系理系とを問わず、あらゆる大学人を悩ませているのはつねにこのパフォーマンスのアピールである。おそらくはこのシンポジウムも例外ではあるまい。

つまり、リオタールは、ポストモダンにおける科学的な知の命運について、かなり正確な未来図を提出していたのである。にもかかわらず、彼は最終的にパラロジーの到来を謳いあげた。そして予測を外した。

では、なぜそんな議論を展開したのか。さきほど述べたように、ぼくはそこにこそ、哲学者自身の希望の表明を見出している。

ポストモダンにおいては、科学的な知は「大きな物語」による正統化を失い、大学の理念とも啓蒙の使命とも関係がなく、結果として、国家と資本に結びついたゲーム内競争の性格を急速に強めることになる。リオタールはその未来を正確にみとおしていた。そしてそこに少なからぬ危険を感じていた。彼は「行為遂行性という理念は安定性の強いシステムという理念を含んで」おり、したがって「テクノクラート」の支配と親和性が高く、システムを守るために特定のプレイヤーをゲームから追い出すこともある、そういうものなので注意が必要だとていねいに記している。パフォーマンスの追求は、原理的にその優劣を判定するゲームの是非を問うことはできない。このゲームにはそもそも意味がないのではないか、と疑うようなプレイヤーはけっしてゲームに勝つことはできない。だから、パフォーマンスによる正統化に頼るだけでは、科学はけっして本質的な発見や発明を生み出すことができないのだ。それは科学の死を意味する。だからこそ、リオタールは、「ベスト・パフォーマンスのモデルではまったくない正統化のべつのモデル、パラロジーとして理解される差異のモデル」が必要だと、多少の論理の飛躍を覚悟のうえで記さなければならなかった[★2]。

つまりは、ぼくたちは『ポスト・モダンの条件』を、未来予測の「報告書」としてではなく、来るべき硬直した未来を見据えたうえでの、改革の提言の書としても読まなければならないのである。そのように理解してこそ、同書の最後に置かれた、「正義への欲望と未知への欲望がともに尊重されるようなひとつの政治のデッサンがここにある」という一文の意味が理解できる。

物語的な知の支えを失い、パフォーマンスの論理にしか正統化を求められなくなったポストモダンの科学的な知は、正義と未知への感性を排除し、国家と資本の要求に最適化するほかなくなってしまう。それがリオタールの抱いた危機意識だった。だからこそ彼はパラロジーの到来に期待した。

4

ポストモダンで採用された「パフォーマンスによる正統化」は、知のゲームから正義と未知への感性を奪い、国家と資本の要求に最適化したものへと変えてし

★2 同書、一四六頁。訳文を一部修正。邦訳内に「最良の遂行」とあるものは原文では la meilleure performance、つまりベスト・パフォーマンスである。

まう。

この指摘は、あらゆる情報が規格化されデジタル化され単一のネットワークのうえに載せられ、しかもその流通がごく少数のプラットフォーム（GAFAあるいは――ここは中国なので――BAT）に支配され始めている四〇年後のいま、ますます切実なものになっているといえる。知の「ベスト・パフォーマンス」化は、いわゆる科学だけの話でも、大学のなかだけの話でもない。二〇一〇年代が終わろうとするいま、ゲームの最適化の論理は日常生活にまで浸透しているといえる。というのも、ぼくたちはいま、フェイスブックで、ツイッターで、あるいはインスタグラムで、自分たちの生を、みずから望んで国家と資本の要求に最適化するように（もっとも多くの「いいね」が稼げるように）切り取り編集して、嬉々としてアップロードし続けているからである。それはあたかも、ポストモダンにおいては、生きることそのものが、惑星規模の巨大なネットワークをゲームボードとし、プラットフォーム企業を管理者として、ひとつの巨大なゲームをプレイすることに変わってしまったかのようだ。

だとすれば、パラロジーの理念は、いまこそ、リオタールが想定したスコープ（大学制度の変革）を超えて、より大きな視野のなかで再定義され、再検討される必要があるだろう。

リオタールは、ポストモダンの科学的な知は、パラロジーで、すなわち複数の言語ゲームの衝突と重ねあわせで正統化されるだろうと主張した。冒頭に述べたように、その予測は誤りだった。科学が複数のゲームに分岐することはなかった。むしろ、ポストモダンの科学は、国家と資本（そしてそれら両方の背景に存在する大衆）の要求に最適化した、ますます画一的で巨大なゲームへと変わっていった。大金持ちが大衆の人気を獲得するために巨額の資金を投じて冒険的なプロジェクトをたちあげ、それに世界中の科学者と技術者が群がって大量の論文を生産する、そして次世代の学生たちは、それを横目でみながらどこにいけばもっとも多額の給与が払われ、もっとも多額の研究費が手に入るのか血眼でSNSを確認し続ける——いささか戯画的に描写すれば、それが二〇一〇年代の科学的な知をとりまく典型的な状況である。

その状況は、もしかしたら自然科学の発展にとってはやむをえないものだったのかもしれない（とはいえ、たとえば気候変動への対処の遅れに示されているように、現在の科学はあまりにも現在の国家と資本に最適化していて、それゆえに致命的な弱点を抱えているのではないかと議論することはできる）。けれども、もしいま、同じパフォーマンスの論理にしたがって、人々の生活までもがゲーム化され、国家と資本に最適化され、画一化され規格化され始めているのだとすれば、それはどう考えてもよいとはいえない。人間の生は「ベスト・パフォーマンス」に支配されてはならない。ぼくたちはいま、科学的な知の生産性を守るためだけではなく、ぼくたち自身の生の自由を守るためにこそ、パラロジーを必要としているのだ。

いま『ポスト・モダンの条件』を読みなおすとしたら、このような問いの再設定こそがもっともアクチュアルに思われる。

パラロジーは、すなわち複数の言語ゲームの衝突と重ねあわせは、いかにしたら実現できるのだろうか。

5

リオタールは、この点について楽観的見通しを示していた。彼は『ポスト・モダンの条件』の最終章で、「この後者の方向［パラロジー］への分岐を推し進めるために取るべき路線は、原理的にはきわめて簡単であって、それは、公衆にメモリーとデータバンクへの自由なアクセスを与えることである」と記している[★3]。つまり、多くの人々が情報を共有し、それをもとにゲームを展開するようになれば、必然的にゲームは複数化しパラロジーの状況が生まれるはずだと、リオター

★3　同書、一六三頁。訳文を一部修正。邦訳で「記憶された情報」と訳されているものは原文ではたんに mémoire であり、メモリーと訳すべきだと思われる。

ルはそう考えていたのである。けれども、インターネットが普及し、グーグルが生まれ、公衆が現実に「メモリーとデータバンクへの自由なアクセス」をもつようになったいま、その見通しが誤っていたことはあきらかだ。リオタールが考えた前提条件は実現したが、リオタールが考えた結果は実現していない。いちおう補足しておけば、さきほどもちらりと触れたように、彼の予測の背景には言語ゲームと行為遂行性の関係についての哲学的洞察が控えていた。けれども、いずれにせよ、来るべきポストモダンの情報社会を分析するうえでは、その洞察は的はずれ、といっていいすぎであれば不十分だったのである。

それでは、リオタールはなぜ誤ったのだろうか。ぼくの考えでは、誤りの原因は彼の言語ゲームの理解にある。

ぼくはここで、ウィトゲンシュタインの再解釈にとりかからなければならない。ここまでの紹介でわかるとおり、言語ゲームは『ポスト・モダンの条件』の鍵となる概念のひとつである。リオタールはそれをウィトゲンシュタインから借りている。晩年のウィトゲンシュタインは「言語ゲーム論」と呼ばれる独自の哲学を展開し、その考察の記録は死後『哲学探究』と題されて出版された。

ウィトゲンシュタインの言語ゲーム論は、一般に、ルールの不在を強調した哲学だと理解されている。ぼくたちはふつう、ゲームとは、なんらかのルールがあって展開されるものだと考えている。けれどもルールとはなんだろうか？　ルールはどこに存在するのだろうか？　プレイヤーはほんとうにルールを熟知してプレイしているのだろうか？　そのように問いを進めていくと、ルールなんてほんとうは存在しないという結論に達さざるをえない。ぼくたちは、ただたんにゲームをプレイしている。そしてあるときはルールに則っていると判断され、あるときは違反していると判断される。ルールとは、そのような事後的に振り返って見出されるものでしかなく、だからこそ同じゲームのなかでルールが変わることもありうる。――ウィトゲンシュタインの主張は、このようなものだと広く理解されている。

けれどもその理解では不十分である。それでは、あらゆるコミュニケーションには根拠がなく、成立しているようにみえるのは奇跡でしかないというニヒルな主張にしかつながらないからだ。ぼくの考えでは、彼の議論の核心はむしろ、ゲームがゲームとして続くためには必ず「観客」が必要となること、裏返せば、ゲ、い、い、い、い、い、い、い、い、い、い、い、い、い、い、い、い、ームとはそもそも観客を生み出すためにこそ続けられるものであることの発見にある。この視点の欠落が、リオタールのパラロジー論を弱いものにしている。

6

どういうことだろうか。ゲームは観客を生み出すためにおこなわれる。この主張は奇妙に聞こえるかもしれない。たしかにゲームが生まれたときはそうではない。それは日常的な経験からもわかるはずである。遊び＝ゲームとは「だれかのために」やるものではない。野球やサッカーのような身体を動かすスポーツにせよ、チェスのようなテーブルゲームにしろ（『ポスト・モダンの条件』はチェスを例に出している）、最初の、まだゲームがゲームとして名指されていない状況におけるプレイヤーたちは、ボールを蹴ったり、フィールドを走ったり、あるいは駒を置いたり動かしたりする「プレイ」そのものが楽しいからこそゲームをしていたはずである。そこではだれも観客の視線など意識しない。ゲームは最初は観客なしに存在する。

けれども、ウィトゲンシュタインが指摘したのは、ゲームはそのままではけっしてゲームとして安定することがないということである。プレイヤーしかいないのであれば、ゲームのルールはいつでも変わる可能性があるし、いつゲームそのものが終わってもおかしくない。『哲学探究』は、子どもの遊び＝ゲームをわかりやすい例として出している。子どもの遊びは自由である。鬼ごっこがいつかかくれんぼに変わるかわからないし、かくれんぼがいつしりとりに変わるかわからない。そして飽きたら遊びは終わってしまう。ウィトゲンシュタインは、大人の言語的で社会的で論理的なコミュニケーションも、本質的にはそれら子どもの遊びと同じ性格を備えていることを示した。

プレイヤーはいつでもゲームのルールを変えることができる。だからゲームはゲームとして安定しない。この発見からは二種類の結論を導き出すことができる。ひとつは、さきほども述べたような、あらゆるゲームには持続の根拠がなく、ゲームが成立しているのは奇跡でしかないという、いっけんラジカルにみえるが、じつのところニヒルでロマンティックな結論である。

もうひとつは、もしかりにプレイヤーがプレイするだけではゲームがゲームとして安定しないのだとすれば、現実には、ゲームが成立し持続しているときには、かならずプレイヤー以外の第三者が介在しているはずだという結論である。こちらはたいしてラジカルでもロマンティックでもなく、哲学的に「深く」もないが、ぼくはウィトゲンシュタインのテクストはこちらの方向で解釈すべきだと考える。ソール・クリプキはまさにその方向を選んだ哲学者である。

クリプキは『ウィトゲンシュタインのパラドックス』で、その第三者を「共同体」と呼んでいる。彼は「共同体から切り離されて考えられた個人については、規則に従っている、という事を言うことは出来ない」と記している[★4]。ひとりでは、ゲームはそもそもプレイしているということができない。それがクリプキがいっていることである。ゲームは共同体なしに存在できない。

ぼくはこのクリプキの解釈を支持する。しかし、ただひとつ、「共同体」は「観客」と呼んだほうがよいと考えている。「ゲームは共同体なしには存在しない」といわれてもピンとこないひとが多いかもしれないが、「ゲームは観客なしには存在しない」という表現であれば、哲学的訓練を受けていないひとでも意味を理解できる。プレイヤーだけしかいないゲームにおいては、ルールがいつ変わるかわからないし、ゲームそのものがいつ終わってしまうかわからない。けれども観客が現れると、状況はがらりと変わる。観客は、プレイヤーがルールを恣意的に変えることを許さないし、唐突にゲームを終えることも許さない（ここでは審判は観客に含むものと考えてみる）。これはじつにわかりやすい話である。観客こそが、プレイヤーの快楽とはべつに、ゲームのアイデンティティをつくり出し支えるのである。

★4　ソール・A・クリプキ『ウィトゲンシュタインのパラドックス』、黒崎宏訳、産業図書、一九八三年、二一五頁。原文の強調を削除。

ゲ、ー、ム、は、観、客、な、し、に、は、持、続、し、な、い、。裏返せば、ゲームを持続させるためには、観客を生み出さなければならない。これはたいへん具体的な話である。野球にしてもサッカーにしても、ルールがきちんと定められ、審判制度が整備され、フェアなプレイが約束されているのは、そこに観客がいるからである。もしも観客がいなければ、それらのゲームはあっというまにアイデンティティを失い、異なったルールをもつべつのゲームへと変質してしまうにちがいない。じっさい、野球がクリケットと区別されて野球になり、サッカーがラグビーやアメリカンフットボールと区別されてサッカーになったのは、ようやく一九世紀のことである。

7

ひとつ短い補足を加えておく。今日は時間がないので触れるに留めるが、ゲームは観客がいなくては存在しない、ゲームはむしろ観客を生み出すために続けられるものだと理解するべきだと主張するとき、ぼくが念頭においているのは、じつはハンナ・アーレントの政治哲学である。

アーレントは『人間の条件』において、人間の行為（acitivity）を、活動（action）と制作（work）と労働（labor）の三つの領域に区別した。活動は言語的な表現行為を意味している。制作はものづくりを意味する。労働は肉体労働を意味する。アーレントはそのような区別のうえで、人間が人間であるためにもっとも重要なのは活動であり、そして政治とはその活動が現れる場なのだと主張した。

ウィトゲンシュタインの言語ゲーム論は、このアーレントの「活動」の概念とつなげて理解するとよい。じっさい、アーレントは「活動は、製作とちがって、独居においてはまったく不可能である」と記している［★5］。活動はかならず他者を必要とする。観客を必要とする。それはさきほどまで議論してきたゲームの概念に似ている。ぼくたちはここから、逆に、一般に政治と呼ばれる活動は、そ

★5　ハンナ・アレント『人間の条件』、志水速雄訳、ちくま学芸文庫、一九九四年、三〇四頁。なおこの和訳では「製作」はfabrication に対応し「制作 work」と訳し分けられているが、ほぼ同じ意味と考えて問題ない。

もそもが、市民と呼ばれる観客を生み出すために続けられる、大きな言語ゲームなのではないかと問うことができるだろう。

さきに市民がいて、それが集まって政治が生まれるのではないのだ。政治というゲームこそが、観客としての市民を生み出すのである。じっさいにそれは、マスメディアにおいて政治の話題がどのように機能しているかを考えると、きわめて現実的な分析のように思われる。そして、だからこそ、この講演の最後で述べるように、政治の複数化こそが求められるのである。政治が単一だということは、市民も単一だということなのだ。

8

リオタールに戻るとしよう。『ポスト・モダンの条件』のパラロジー論にはなにが欠けていたか。すでにおわかりのように、そこには「観客」の概念が欠けていたというのがぼくの考えである。

リオタールは、複数のプレイヤーがいれば、データベースを共有しても複数のゲームが生まれると考えた。そしてポストモダンにおいては、それらのゲームは大きな物語によって統御されないのだから、差異を抱えたまま育ち、衝突してパラロジーが生まれると考えた。

けれどもそれはまちがっていた。複数のプレイヤーがいて、大きな物語の支配が失われても、それだけで複数のゲームが生まれるわけではない。複数のゲームが育ち、パラロジーが発生するためには、たがいに異なったルールを信じる観客の共同体が複数維持されなければならない。けれども、『ポスト・モダンの条件』の出版から四〇年、じっさいに起きたことは、情報の共有が進み、単一のデータベースが支配的になることで、むしろゲームの観客そのものが統合されていく過程だった。

たとえば政治というゲームを考えてみよう。二〇世紀においては、国民国家あるいは言語の境界が、メディアを分割し、観客を分割し、ゲームを分割していた。

日本には日本の政治のゲームがあり、韓国には韓国の政治のゲームがあり、中国には中国の政治のゲームがあって、それらはたがいに分離されていた。けれどもいまや、メディアはそれらの境界を易々と超え、観客を統合し、それゆえゲームをも統合してしまう。そこからさまざまな厄介な問題が起きていることは、みなさんご承知のとおりである。

リオタールがめざしたパラロジーを実現するためには、たがいに異なったルールを信じる複数の観客の共同体を同時に存在させなければならない。もしそれが存在しないのであれば、再発明しなければならない。それが、『ポスト・モダンの条件』が二〇一九年のぼくたちに残した課題である。

9

ここも補足しておきたい。情報社会の問題としては、「エコーチェンバー」または「フィルターバブル」と呼ばれる現象が指摘されることが多い。現在のオンライン・コミュニケーションは、検索エンジンとソーシャルネットワークの最適化アルゴリズムに過度に依存しているため、ユーザーが好むもの以外の選択肢があらかじめほぼ見えなくなっている。そのため、政治についても文化的な趣味についても、ユーザーには自分の好む意見ばかりが目に入り、右であろうと左であろうと、どんどん最初の信念が強化され極端になっていく傾向にある。その現象が「エコーチェンバー」または「フィルターバブル」と呼ばれるものだが、それはいま述べたことと矛盾するようにみえるかもしれない。インターネットは、観客の共同体をひとつにするどころか、複数の、たがいに異なった信念をいだく閉鎖的な共同体に分割しているのではないかと。

けれども、その指摘は物語の概念とゲームの概念を混同している。リオタールは、近代社会では、啓蒙や革命といった「大きな物語」が複数のゲームを正統化の力で支配していたと分析した。それを敷衍していえば、エコーチェンバーがつくるのはあくまでも「小さな物語」である。小さな物語には、ゲームを正統化する力はない。小さな物語は、あくまでもゲームの「手」として動員されるだけである。現在のインターネットは、たしかに無数の小さな共同体にわかれているようにみえる。極右と極左はまったく異質な言語ゲームを展開しているようにみえる。けれども、じっさいはそれらは両方とも、大きなゲームのなかで、より多くの支持者を集め、より多くの資金を集めるために競争をしているだけなのである。

これもまたきわめて具体的な話である。さきほど記したように、かつて日本には日本の政治のゲームがあり、韓国には韓国の政治のゲームがあり、中国には中国の政治のゲームがあった。そしてそれらのゲームは、それぞれの国民国家の物語＝歴史によってばらばらに正統化され、だからこそあるていど無関係でいられた。

現在はどうか。日本人は日本の国家主義的な歴史を信じている。韓国人は韓国の国家主義的な歴史を信じ、中国人は中国の国家主義的な歴史を信じている。それらの衝突はいっけん、それぞれの国家の存在を賭けた大きな物語の衝突のようにみえる。

けれども、じっさいは日本も韓国も中国も、いまや同じグローバルなゲームのなかに巻き込まれているのであり、自国の物語＝歴史だけで自国の政治や社会を支えることはできない。つまりいまや物語＝歴史に正統化の力はないのだ。いま三国の政府がおこなっているのは、自国の政治的・経済的な立場を優位にするために、グローバルな観客にむけて、それぞれの物語＝歴史をゲームの「手」として使っているというだけである。だからこそ、対抗関係の解消もむずかしいのである。

10

さて、この講演は「データベース的動物は政治的動物になりうるか」と題されていた。にもかかわらず、本題の「データベース的動物」の話題がいつまでたっても出てこないことに不審を覚えているかたもいるかもしれない。けれども、じつはすでに語られている。

ぼくは「データベース的動物」の概念を、二〇〇一年に出版した『動物化するポストモダン』という本で提案した。この書物は二〇〇九年に『オタク――日本のデータベース的動物たち』というタイトルで英訳されている。タイトルの変更は出版社の提案によるものである（ぼくとしては、そこには日本の哲学に対する一種のオリエンタリズムが表れていると感じている。同書には中国語訳と韓国語訳もあるが、それらではタイトルは日本語版と同じである――とはいえ、同書のフランス語訳は『オタク世代』というものだったのでそれよりはよいかもしれない）。この変更は、英語圏の読者に対して、同書の論点を見えにくくしてしまったかもしれない。同書は、アニメやゲームを愛する日本の若い世代の集団、いわゆる「オタク」の分析を主要な事例として使っているが、けっして社会学や文化研究の成果として書かれたものではなく、あくまでも「ポストモダン」の概念を問いなおすための本だったのである。

ぼくはその書物で、日本では、一九七〇年代に大きな物語が壊れたあと、政治参加の意識が下がったかわりに、アニメやゲームなどのポップカルチャーの知識を共有し、その解釈にアイデンティティを託す新しい世代が現れたことを指摘した。彼らは日本語で「オタク」と呼ばれ、ぼく自身もまたその世代に属している。彼らの出現は、一般にはあまり哲学的な意味があると思われていない。けれどもぼくは、彼らこそが、哲学者が「ポストモダン」という言葉で名指そうとした、大きな政治的・文化的変化を体現する存在だと考えたのである。そして彼らを「データベース的動物」と名付けた。

そこでの「動物」という言葉の選択は、アレクサンドル・コジェーヴの議論を参照している。彼は、一九三〇年代にヘーゲルの『精神現象学』についておこなわれた講義録にのち加えた長い注で、「歴史の終わり」のあと、人間はもはや近代的な意味では人間であることができず、世界にはアメリカ的な動物的生活と日本的なスノビズムだけが残るのだと記した[★6]。じつは、一九八〇年代から

★6　アレクサンドル・コジェーヴ『ヘーゲル読解入門』、上妻精、今野雅方訳、国文社、一九八七年、二四五頁以下。

九〇年代にかけての日本の読書界においては、この注が、日本は歴史の最先端に位置する国家で、ポストモダンの未来をどこよりも早く実現しているのだという議論を支持するものとしてしばしば引用されていた。ポストモダンの時代に入っても、独特の文化をもつ日本では人々は動物になることはない、スノッブな賢い消費者でいられるのだという、ナショナリズムと表裏一体になった自己肯定が流通していたのである。『動物化するポストモダン』は、そのような議論への批判としても記されている。ポストモダンとは、人間を「動物化する」時代であり、それは日本でも変わらないと主張したのである。

動物化とは、今日の講演の言葉でいえば正統化の消失を意味している。正統化を失った人間は、快楽や利益で動くほかなくなる。だから動物と形容される。データベース的動物は、大きな物語に頼ることができないので、大きなデータベースだけに頼って生を守ろうとする。具体的には、自分の思考や行動を国家や政治のような大きな物語によって正統化することができず、かわりにメディアが提供する断片的な情報を組みあわせて「小さな物語」をつくり、それをまわりに巡らせることで自分の弱いエゴを守るしかなくなってしまう。日本では、前世紀の最後の二〇年に、そのような変化がオタクたちに先駆的に観察された。

二〇一九年のいま、ポストモダンにおいて人々はデータベースに依存する動物になるほかないというこの指摘は、ますます重要になっているように思われる。二〇〇一年に『動物化するポストモダン』が出版されたときには、いまだグーグルもアマゾンもいまのような力をもたず、ソーシャルネットワークは存在すらしていなかった。エコーチェンバーの現象も知られていなかった。それゆえぼくは、日本の若者世代の文化を例に、社会学者やジャーナリストの観察を再解釈するかたちで議論を組み立てざるをえなかった。けれども、いまならば、同じ問題意識は、より一般的でグローバルな文脈で展開することができるように思われる。今日ここまで話してきたことは、『動物化するポストモダン』の問題提起を、あらたに『ポスト・モダンの条件』の言語ゲーム論と接続することで再設定するものである。ぼくは『動物化するポストモダン』で、近代（大きな物語）の世界像とポストモダン（大きなデータベース）の世界像を対比させたふたつの図を記している。

そこではぼくはまだ物語の観念とゲームの観念を十分に区別していないが、今日の議論を当時の図に重ねれば、図1のようになるだろう[★7]。

　二一世紀はデータベース的動物の世紀である。そこでは人々はみな、データベース的動物として、惑星規模で共有された巨大なデータベースから情報の断片を選び出し、それぞれの小さな物語を紡ぎ、それを「手」としてグローバルなゲームに勝ち残るべく、日々激しい競争に晒されている。そしてその条件は、ぼくたちの生を、精神的にますます貧しいものにしている。

11

　したがって、ぼくたちはふたたび世界にパラロジーを導入しなければならない。観客を複数化し、ゲームを複数化しなければならない。グーグルやフェイスブックのアルゴリズムが定義するものではない、べつのゲームを再発明し、それを見

図1

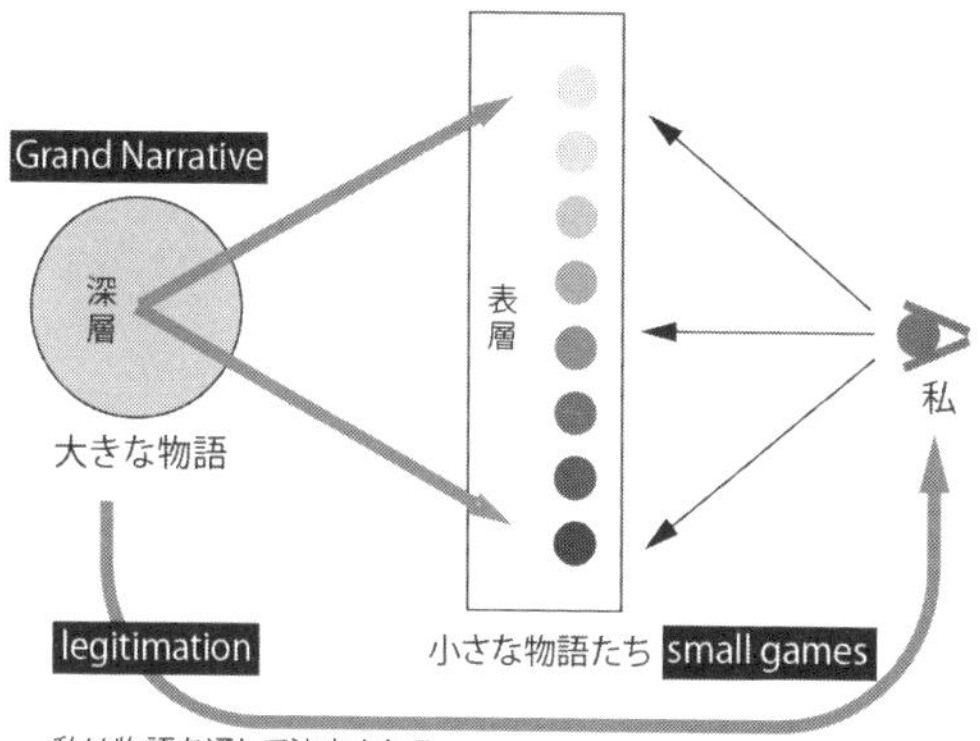
近代の世界像(ツリー・モデル)
Grand Narrative
深層
大きな物語
表層
私
legitimation
小さな物語たち small games
私は物語を通して決定される

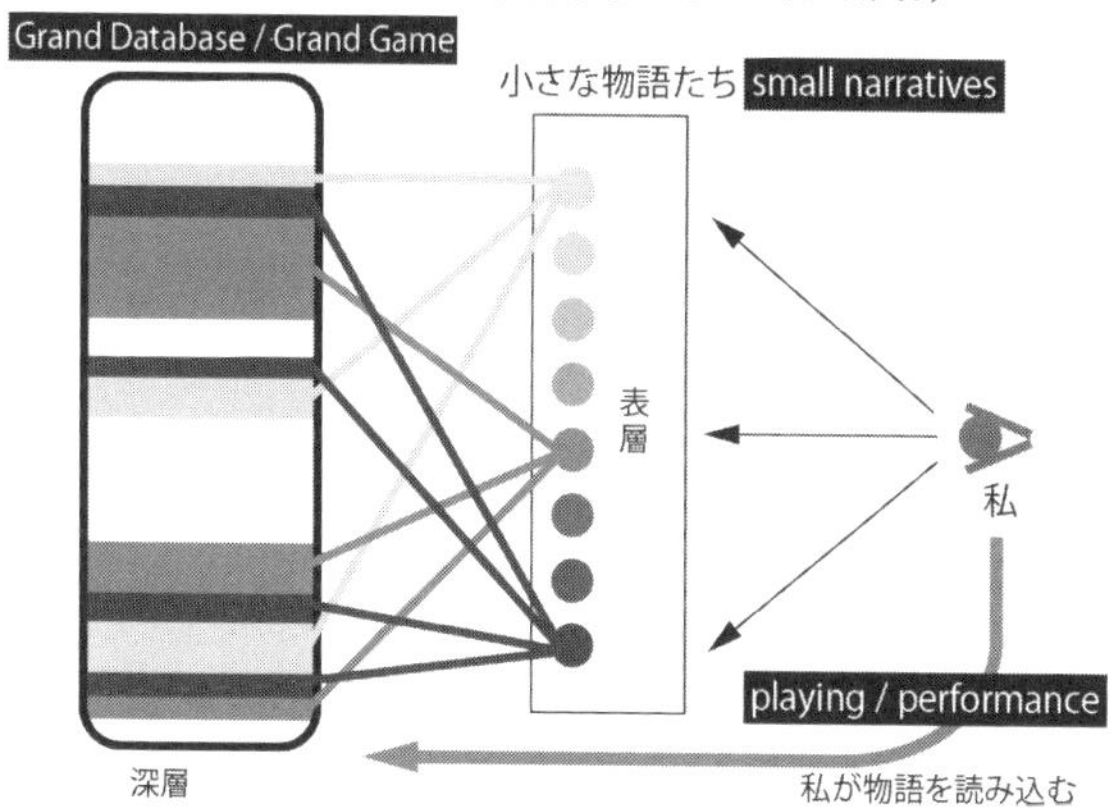
ポストモダンの世界像(データベース・モデル)
Grand Database / Grand Game
小さな物語たち small narratives
表層
私
playing / performance
深層
私が物語を読み込む

るべつの観客の共同体を育てなければならない。その介入こそが、「正義への欲望と未知への欲望がともに尊重されるようなひとつの政治のデッサン」という言葉で、リオタールが夢見たことでもあるだろう。ぼくたちにいま必要なのは、複数の物語ではなく複数のゲームなのだ。以上がこの講演の結論である。

　リオタールはなぜ「政治」という言葉を用いたのか。ぼくはそこで、アリストテレスが人間を「政治的動物」と名付けていたことを思い起こす。アリストテレスは、人間とは政治＝国家（ポリス）に依存する動物であり、また政治＝国家のなかで「よき生」を実現しようとする動物であると述べた。

　これはデータベース的動物の定義と似ている。データベース的動物もまた、データベースに依存する動物であり、データベースのなかで「よきパフォーマンス」を実現しようとする動物である。つまり、ぼくたちの時代においては、ポリスがデータベースに置き換えられつつある。そして「よき生」が「よきパフォーマンス」に置き換えられつつある。それこそが問題である。何人かの研究者は、その変化を「アルゴリズム的統治」という言葉で議論している。

リオタールが『ポスト・モダンの条件』の最後で記したことは、パラロジーの実現、すなわち言語ゲームの複数化こそが、ほんとうの「政治」を可能にするはずだということである。この指摘もまた、二〇一九年のいまますます重要性を増している。

たとえば、現在、政治哲学者のあいだでは「左派ポピュリズム」の可能性が積極的に議論されている。世界的な右派ポピュリズムの台頭に対抗するため、左派もポピュリズムを利用すべきだという議論である。このような議論には危険が潜んでいる。それは結局のところ、左派もまた、右派と同じゲームに参加し、同じ

★7 東浩紀『動物化するポストモダン』、講談社現代新書、二〇〇一年、五一頁をもとに制作。二〇年まえのぼくは、近代では大きな物語が小さな物語（複数）を規定し、それを通して主体を抑圧していたのに対して、ポストモダンでは大きなデータベースこそが主体の要請に応じて小さな物語（複数）を生み出すので、人間はより自由になれると考えていた。当時のぼくはまだ二〇代で、その主張には青年期のぼくの楽観的な世界観が反映されていたのかもしれない。けれどもいまのぼくは、近代とポストモダンでは、端的に物語とゲームの位置が入れ替わっただけなのであって、それゆえ人々は自由になるどころかますますゲームの論理に閉じ込められるようになったと捉えたほうが、この数十年の現実の変化に即しているし、また『動物化するポストモダン』の問題提起はそのように引き継ぐべきだと考えている。この修正の意味についてはいつか稿をあらためて論じたい。

ルールで勝利すべきだという主張を意味するからである。左派ポピュリズムの理論的な指導者、シャンタル・ムフは最近の著作で、左派ポピュリズムはけっして複数の運動の差異を消去せず、たがいに差異を保ったままで連帯して戦うので右派の戦略とは異なると主張している[★8]。けれども、その戦略はあたかも、たとえばオンラインゲームで、ステージを進めるためたがいに異なった目的をもつプレイヤーが暫定的にチームをつくるかのようである。敵を倒す、というゲームのルールは疑われていない。けれども、ぼくたちがほんとうに疑うべきなのは、そのルールの正統性そのもののはずである。ぼくはさきほど、複数の物語と複数のゲームは異なるのだと述べた。それをふまえていえば、左派ポピュリズムは、あくまでも、「政治」と呼ばれる既存のひとつのゲームを勝ち抜くために複数の物語を束ねる戦略であって、ゲームそのものを複数化する戦略ではない。

政治を複数化すること。ゲームを複数化すること。観客を複数化すること。パラ観客の状況をつくること。それこそが、データベース的動物を「ベスト・パフォーマンス」の呪縛から解き放ち、ふたたび政治的動物に戻すために必要なことである。

12

最後に、蛇足として付け加えると、今日のこの講演の内容は、ぼく自身の実践とも不可分に関係している。ぼくはいまは大学に所属していない。アカデミズムは五年まえに離れている。ぼくは独立した批評家であり、東京で「ゲンロン」という名前の小さな出版社を経営している（「ゲンロン」は日本語で「言論」を意味している）。自分の考えはおもに、その会社が発行する書籍と、その会社が運営しているオンラインの放送番組で発表している。政府からの支援は受けていない。運営資金は、支援者による会費や書籍の売り上げで賄っている。

★8　シャンタル・ムフ『左派ポピュリズムのために』、山本圭、塩田潤訳、明石書店、二〇一九年。

それはとてもむずかしい試みである。会社を経営するとは、資本主義の論理に巻き込まれるということであり、また従業員の生活に責任を負うということでもある。ふつうに考えれば、哲学者の自由を束縛するものである。

にもかかわらず、なぜそのような試みに挑戦しているのかといえば、それは、哲学をふたたび生きたものにするためには、マスメディアからもアカデミズムからも離れた、べつのタイプの「哲学の観客」の共同体をつくり出す必要があると考えているからである。みなさんの国では状況が異なるのかもしれないが、日本ではいま、哲学の言葉は、一方では大学のなかで専門家たちが独占するジャーゴンになっており、他方では大学の外で、きわめて単純な政治的な主張、すなわち左派ポピュリズムの道具になってしまっている。それらはともに、大学内で、あるいは大学の外で、それぞれのプレイヤーがそれぞれのゲームを勝ち抜くための「手」でしかない。だからぼくは、それらとは異なるタイプの言葉を求める、異なるタイプの観客をつくりたいと考えた。ぼくたちの会社がどのようにユニークなプログラムを組み、どのようにユニークな共同体をつくり上げているかは、またべつの機会に紹介したい。

啓蒙という言葉は、今日はほとんど使わなかった。けれども、もし現代に「啓蒙」がありうるとしたら、それは、人々を大きな物語に導くことではなく、ゲームの複数化に、すなわちパラロジーに導くことなのではないかと思う。

解説

東浩紀との出会い

パク・カブン

訳＝安天

最初の出会い

解説を始める前に、韓国の読者と東浩紀との出会いをめぐる微妙なずれについて断っておく必要がある[★1]。今まで、東浩紀は「サブカルチャー批評家」、あるいは「サブカルチャー思想家」というイメージのもと、韓国で受容されてきた。ゼロ年代までは、筆者も東浩紀についてそのような印象をもっていた。もちろん、これはこれで間違いではない。しかし、それが彼の思想的な「全貌」ではないという事実が十分には知られていなかった。

これは、現代日本の思想が主に文芸的な形で輸入されたという韓国での事情と無関係ではないだろう。例えば、韓国で広く読まれた柄谷行人も、同じく一時期は哲学者ではなく文芸批評家として受け入れられていた。そして、東浩紀もサブカルチャー文芸批評という狭い枠組みで捉えられ、受容された。最初に韓国語に翻訳された彼の著書が、オタクのサブカルチャー批評を本格的に展開した『動物化するポストモダン』（韓国語版の刊行は二〇〇七年）であることは象徴的である。もちろん、これはこれで韓国内のサブカルチャー消費者＝読者に強烈な印象を与えたのは間違いない［★2］。しかし、彼の最初の出世作で、ジャック・デリダに関する哲学的批評である『存在論的、郵便的』（韓国語版の刊行は二〇一五年）は、それよりずっと遅れて翻訳版が刊行された。筆者も、彼の主な単行本のなかで、直近に読んだものはこの本である。詳しくは後述するが『存在論的、郵便的』からは志の高い思想家としての、彼の異なる一面が確認できる。このような時間的なずれを考えたとき、韓国において彼の思想は、（東浩紀の言葉を借りると）ある程度「誤配」されたということができる。

★＝原注　☆＝訳注

★1　最初は、東浩紀を韓国の読者に解説するというスタンスで書くつもりだったが、すぐ、それは不可能であることに気づいた。異なる言葉を使う外国人の思想を、その文献すべてにアクセスする能力がない状態で「解説」するのは不可能に近い。したがって、私はこの困難を認めるところから始めなければならない。これから書き綴る文章は「解説」というよりも、韓国語に翻訳された彼の一部の著作とインタビュー、そしていくつかの断片的な対話に基づく「感想文」として考えてほしい。

★2　『動物化するポストモダン』の後も、彼の著作は『クォンタム・ファミリーズ』（韓国語版の刊行は二〇一一年）、『ゲーム的リアリズムの誕生』（韓国語版の刊行は二〇一二年）の順で韓国に紹介された。

彼の初期作の翻訳が遅れたことについて、少々もどかしさを感じる理由は、彼の本の最初の韓国語版が出版された時期には、まだ現代思想に関する大衆的な関心が(日本の一九八〇年代の「ニューアカ・ブーム」ほどではないにせよ)、韓国にある程度残っていたからだ。例えば、当時は人文系大学生の間で『哲学と煙突清掃人 철학과 굴뚝 청소부』[☆1]が必須の教養書のように読まれていた。当時、デリダだけでなく現代思想に関する全般的な議論を俯瞰して論じた彼の初期作が翻訳刊行されていたなら、あるいは東浩紀の韓国での受容は、今とはまったく異なる経路をたどったのかもしれない。ともあれ、過ぎたことであり、あれこれ言っても仕方のないことなので、ここでは逆にこのような「ずれ」そのものをより生産的な形で読解していく必要がある。

哲学者としての側面

東浩紀の著作と発言には、「人間は根本的にコミュニケーションの環境により条件づけられている」という問題意識が通底しているように思われる。例えば、『弱いつながり』で彼は次のように書いている。「ぼくたちは環境に規定されています。『かけがえのない個人』などというものは存在しません。ぼくたちが考えること、思いつくこと、欲望することは、たいてい環境から予測可能なことでしかない。あなたは、あなたの環境から予想されるパラメータの集合でしかない」〔★3〕。一見、ポスト構造主義の紋切り型の文句に思われがちだが、読み返せば読み返すほど、このような認識が彼の思想的・実践的軌跡を、その根底において規定していると思われる。

また、本書において東浩紀は、類似の問題意識を「意識」と「意識の外部」の対立として語っている。「僕は、哲学や文学の世界では問題が転倒していると常に感じていた。意識から出発して意識の外部へ向かう、そのようなタイプの論理構成そ

☆1 一九九四年に韓国で刊行された現代思想入門書で、著者は韓国におけるポスト構造主義の拡散に甚大な役割を果たしたイ・ジンギョン。日本で言うと浅田彰の『構造と力』に類比する影響力をもっていた本と言えるかもしれない。二〇〇二年には増補版が刊行された。

★3 아즈마 히로키『약한 연결』、안천 옮김、북노마드、二〇一六년、一一쪽。〔原著は東浩紀『弱いつながり』、幻冬舎、二〇一四年、九−一〇頁。〕

のものが転倒している。我々はむしろ意識の外部から始めなければいけない。つまるところ、それは動物性であり、ある種の機械的な制御の問題であり、物質としての身体という問題だろう」（本書一七頁）［☆2］。ここで、彼が「意識の外部」にあるもの（物質性、身体性、機械的な制御など）を挙げながら、そこから始めなければいけないと主張するのは、それ自体は目新しくない。すでに様々な現代の思想家が似たような話をしているからだ。東浩紀の特異性は、彼が一貫してこの「意識の外部」を「コミュニケーションの環境」として考えてきたところにある。政治的な言説であれ、哲学的な言説であれ、あるいは批評的な言説であれ、私たちは常日頃、コミュニケーションの環境が整っていることを前提に議論を展開する。反対に東浩紀は、実際にはこのような条件は確保されていないという疑念から議論を始める。彼は、どんな領域の問題についても、このような視点からアプローチする。

ここで、時間をさかのぼり、現代思想の問題に正面から取り組んでいた時期（九〇年代後半）の東浩紀を振り返ってみよう。彼の議論は、大まかにまとめると次のとおりである。一時期、私たちが日常的に使う概念の本質的な意味は哲学的な反省により確定しえると素朴に考えられていた時代があった（形而上学）。これに対して現代思想は、いくら反省を繰り返しても単一の意識や形式的な体系の内部でその意味を確定できない命題（ゲーデル）、存在者（ハイデガー）、シニフィアン（ラカン）などが存在することに注目する。他方、東浩紀はこのような現代思想が逆に「意識の外部」または「他者」をむやみに実体化・神秘化（例えば、ハイデガーの「存在の呼び声」）する罠に落ちてしまったことを批判する。彼はそれ以来、このような思考を「否定神学」［★4］と呼び批判している。なお、東浩紀が考える「意識の外部」とは、ひとことで言うと人間が直面するコミュニケーションにおける社会的・技術的・物質的な条件のことである。

このような認識は、後期デリダの脱構築（韓国では「解体」という言葉で、より広く知られている用語）の戦略を批評した、次のような文面に予告されている。「『言葉が書き手の意図を裏切って別のことを意味してしまう』状況は、もはや発話者の

☆2 東浩紀が「はじめに」で記しているとおり、本書の韓国語版と東が最終的に確認した日本語版では表現に異同がある。それゆえパク・カブンがここで参照している発言と、本書内での発言は必ずしも完全に一致しない。

★4 本来は、神に対する限定的で不完全な規定を否定する仕方で、神の本性についての考察を迂回的に遂行するキリスト教神学の方法論を意味する。ここでは、主体的意識の限界に関する考察を通じて、逆にそのような意識の向こうにある超越的存在を実体化しようとする、哲学的な思考方法を批判する用語として使われている。

側の決定不可能性（発話者の現前への回収不可能性）からではなく、発話者と受話者とのあいだに広がるネットワークから分析される」［★5］。例えば、デリダが特定の哲学的概念を脱構築する過程を、その概念自体の意味によってのみ理解しようとすると、それは異なる形の観念論、または神秘主義になってしまう。しかし、東浩紀からすると、脱構築は哲学的概念について完全な同期化ができていないネットワークの不完全性に起因する現象だ。同期が不完全な状態のネットワーク（＝郵便空間）のなかでは、概念の意味は絶えず再解釈（＝誤配）の可能性にさらされるしかない。このように、どれほど反省的な意識であっても、それは自分の属するコミュニケーションのネットワークを完全には統御できないため、十全な自己認識に失敗する。このような認識のもと、東浩紀は「脱構築は何よりも、内（耳）的な郵便空間の統御の失敗から要請されるのだ」［★6］と記している。東浩紀はこのような自分の認識を、後期デリダの用語にちなんで「郵便的思考」と命名する。

その後、彼はアカデミックな現代思想から離れ、「郵便的」という言葉はほとんど使用しなくなったようだ。しかし、このとき形成された世界認識は持続する。次の文言を見てみよう。「私たちのパースペクティヴにおいては、現存在が面する内世界的存在者の総体、ハイデガーの術語で『現Da』と呼ばれる『世界』そのものは、複数の回路とリズムとを通過したハイブリッドな情報の束で構成されている」[★7]。現代思想の用語で衒学的に描かれている、このような若い時期の世界認識は、その後、より平易な用語で表現されるようになる。すなわち、人間は複数のコミュニケーション回路に取り囲まれている存在であり、これらの回路のネットワーク全体を俯瞰する視点を獲得するのは原理上不可能である、ということだ。

東浩紀の思想的冒険

ここで回り道をして東浩紀について、韓国で広く受け入れられた日本の思想家で

★5 아즈마 히로키『존재론적、우편적』、조영일 옮김、도서출판b、二〇一五년、二〇七쪽。〔東浩紀『存在論的、郵便的』、新潮社、一九九八年、一七二頁。〕
★6 『존재론적、우편적』、二三五쪽。〔『存在論的、郵便的』、一八七頁。〕
★7 『존재론적、우편적』、二一九쪽。〔『存在論的、郵便的』、一八二頁。〕

ある柄谷行人と比較しながら考えてみよう。二人の思想家には、現代フランス思想を主な出発点としているものの、ある時期からそれを思考の足枷として捉え、そこからの離脱を企てたという共通点がある。しかし、やはり興味深いのは両者の相違だ。柄谷は、『世界史の構造』に象徴されるように、歴史を通して形式化された観念の外部への脱出を試みる。例えば、柄谷行人は「死の欲動」という後期フロイトの概念の背後に、第一次世界大戦の帰還兵に見られた神経症患者という歴史的発見を想定する（『ネーションと美学』）。このような再解釈によって柄谷はネーション＝ステートの構造を超えた政治的実践（例えば日本国憲法第九条[★8]に関する発言）の拠点を確保する。他方、東浩紀は柄谷の考え方について「分かりやすい外部」を想定する否定神学と批判しているものの、もし彼が『存在論的、郵便的』を書いたときのテーマに留まっていたならば、彼も同様の批判から自由ではなかっただろう。なぜなら、彼の初期の議論もコミュニケーション環境に制限された人間的条件の限界と、その向こうにある郵便的空間という「分かりやすい外部」を対峙させる構図に見えるからだ。

しかし、東の現代思想（彼が否定神学と呼んで批判する観念の体系）からの離脱、または韓国の哲学者である李聖珉（イソンミン）の表現を借りると「東浩紀の冒険」［★9］はまったく異なる形で展開される。例えば、『存在論的、郵便的』の時期に形成されていた世界認識と比べれば、彼のその後の思想と人生の軌跡は「オルタナティブなコミュニケーションの条件を確保しようとする主体的な意志」を強調する方向性をもっていると思われる。これは『一般意志2・0』での次のような文言に明確に表れている。「インターネットではひとは他者に出会わない、と大雑把に捉えることにはあまり意味がない。重要なのは、どのようなタイプのネットワークであればひとは閉じ籠もり、逆にどのようなタイプであれば他者に出会うことができるのか、その差異を見極めることなのだ」［★10］。彼のこのような思考の展開を詳しく確認してみよう。

周知のように『動物化するポストモダン』と前後して、東浩紀はアカデミックな

★8　日本の再軍備と軍隊の保有を禁止する憲法条項で、日本国内で当該条項の憲法改正や再解釈に関する議論が活発になっている。

★9　이성민『철학하는 날들』、행성B、二〇一八년。

★10　아즈마 히로키『일반의지 2・0』、안천 옮김、현실문화、二〇一二년、一一六쪽。（東浩紀『一般意志2・0』、講談社、二〇一一年、一一三頁。）

現代思想から抜け出し、サブカルチャーに関する本格的な批評を展開していく。このとき東は、従来「郵便空間」という言葉で表現していた世界認識（コミュニケーションの環境のなかに置かれているものの、その環境の全貌を把握できないという意識の限界）を「ポストモダン」という時代像において改めて召喚する。ここでの「ポストモダン」は、文化的なレイヤーにおいて社会が普遍的に共有する「大きな物語」が崩壊し、「小さな物語」がさまざまな形で消費されていく様子を意味する。『動物化するポストモダン』での主な分析対象であるオタクたちは、このようなポストモダンの先端にいる存在とみなされる。例えば、彼らは確定した物語を受動的に消費するのではなく、キャラクターを組み合わせることで、多層的に物語を消費していく。「データベース的消費」［★11］とは、このことだ。

　では、東はなぜ、よりによってサブカルチャーに目を向けたのだろうか。本書のなかでも、彼はそのようなサブカルチャー批評によって、ある種の「価値転倒」を試みていたと述べているが、これだけで説明が尽くされているとは思われない。すでにいろいろな人が指摘していることだが、「大きな物語が崩壊した」というポストモダンの条件を、サブカルチャーの文脈から読み解く必然性があるわけではないからだ。この問題の十分な解明がなされていないなかで東浩紀を読んだ場合、彼の批評は「モダン対ポストモダン」という単純な対立図式に回収されてしまう。もし、このような単純な対立に基づく価値転倒を試みていたのなら、彼のサブカルチャー批評は単なる「形式的な転倒」（柄谷行人）に留まったはずだ。他方、『ゲーム的リアリズムの誕生』には、彼の本当の関心がどこに向けられているかを探るためのヒントが与えられている。

筆者の関心は、オタクという共同体や世代集団の考察にではなく、彼らの生を通して見えてくる、ポストモダンの生一般の考察にある。それはもはや流行の問題ではないし、若者文化の問題でもない。その問題意識は、むしろ、『動物化するポストモダン』が「動物的」と描写したポストモダンの消費者が、それでも「人間的」に生きるためにはどのように世界に接すればよいのかという、前著から引き継がれた、複雑でそして実存的な問題と深く関係している。［★12］

★11　個人的に、日本のアニメと美少女ゲームの愛好家であった筆者も、この批評を読んで膝を打った記憶がある。

これは、例えば『動物化するポストモダン』というタイトルに関する「人間を単なる動物に還元しているのではないか」という（一時期、筆者も同調した）単純な反発に対する、著者からの補足的な説明であると同時に、その後の著作にも引き継がれていく実践的な問題意識を暗示するものでもある。確かに人間は、コミュニケーションの環境のなかに置かれていると、勝手にそれを超えることはできない。しかし、にもかかわらず、よりよいコミュニケーションの条件を確保するための主体的な努力に対して、東はこのときから敬意を表していたのではないのだろうか。実際に、彼はゲーム・マンガ・アニメをはじめとするさまざまなメディア環境に置かれた現代の消費者の「メタ物語的な経験を、小説のかたちに落としこもうと」[★13]するライトノベルや美少女ゲームにおける逆説的な文学的企てに注目し、これらを「ゲーム的リアリズム」でカテゴリー化する文芸批評を試みた。もし彼がオタクによるサブカルチャーでの「データベース的消費」を手放しで肯定する立場だったら、そこから「新しい文学的可能性」を意識的に再確認しようとする文芸批評を試みることはなかっただろう。

脱政治的な実践戦略

このように、東浩紀がポストモダンという条件をわざわざ文学的＝主体的な形で捉えようとしたのは、ポストモダンという時代的な条件に置かれていながらも、自分なりの方法でそのような時代像を共有しようとした意識的な努力として受け止めることができる。文芸批評的な関わり方は、その後しなくなったように見えるが、このような試みは、その後いかにしてコミュニケーションの条件を確保すればよいのか、または我々はいかにしてネットワークのなかで他者と同期化できるのかという固有の問題意識につながっていく。こうしてみると、二〇一〇年代以後、サブカルチャー批評をしなくなった経緯に関する彼の説明を、新たな思想的転回というよ

★12 아즈마 히로키『게임적 리얼리즘의 탄생』、장이지 옮김、현실문화、二〇一二년、一三쪽。〔東浩紀『ゲーム的リアリズムの誕生』、講談社現代新書、二〇〇七年、二三頁。〕

★13『게임적 리얼리즘의 탄생』、一二九쪽。〔『ゲーム的リアリズムの誕生』、一六七頁。〕

りはむしろ、根源的な問題意識への回帰として読むこともできる。

面白いサブカルチャーを発見することは若い世代にしかできない仕事で、僕は年齢的にもそれが無理になりつつある。これから僕がやるべきなのは、価値転倒ではなくむしろ価値設立だろう。（本書二一頁）

さらに例を挙げよう。先ほど触れた『一般意志2・0』で東はSNSやネットのコミュニティが「島宇宙」化することを憂いている。そして、お互いの傾向が異なるサイト間のリンクを義務化することを提案したアメリカの法学者、キャス・サンスティーンの提案に注目する。また、彼は自分の「人生論」を語った本『弱いつながり』で、若者に「検索ワード」を変えるために「旅」に出かけることを勧める。言い換えれば、慣れ親しんだ閉鎖的なコミュニケーション回路に自足するのではなく、新たなコミュニケーションの環境を積極的に手に入れるよう促している。また、彼は原発事故が起きた福島を観光地化しようという挑戦的な提案もしている。そこで東は、原発問題に対する賛否の対立云々以前に、原発事故自体が人々の記憶から薄れつつあることにもどかしさを感じている。『弱いつながり』で彼は次のように論じている。

観光客は無責任です。けれど、無責任だからこそできることがある。無責任を許容しないと拡がらない情報もある。［中略］ぼくは原発事故の記憶を後世に伝えるためにも、まさにそのような「軽薄さ」や「無責任さ」が必要だと思っています。福島の問題は深刻です。だから、ちゃんとコミットしろと言われると、みな腰が引けてしまいます。被災地にも行けなくなります。そしてみんな忘れてしまいます。［★14］

これは、『一般意志2・0』以来彼が表明してきた、東特有の公共性への理解を見事に表している。韓国でも、脱原発の推進を公約として掲げた文在寅（ムンジェイン）政権に入って脱原発に関する賛否の議論が激化したことがあるが、そのとき、私たちは普通、公

★14 『약한 연결』、三〇쪽〔『弱いつながり』、五二－五三頁。〕

的なコミットというものを、原発問題に関する賛否両論のうちどちらかの立場に立つことだと捉えがちだ。ところが、東が哲学者として目指している公共性は、これとは異なる。彼にとって公的な問題は「原発事故に関する記憶が薄れつつある」という、さらに根源的な次元にある。これは『一般意志2・0』における、次のような問題意識とも通底する。「日本における政治的課題は［中略］それほど政治意識のない人たち、アマチュアの一般市民たちが負担なく政治的発言ができるような回路をもう一度作りなおすことが大事なのだ」（本書四六頁）。すなわち、彼が取り組んでいる問題は、どの政治的な立場を取るかではなく、日常的な政治的意志表明の空間（＝回路）自体をいかにして構築するかという問題だ［★15］。「党派的に占有される前の空間、言語、環境、記憶などを公共の領域として復元する」という彼特有の考え方を、ここでは暫定的に「脱政治的な実践戦略」と名付けることができる。

実際に、東は哲学者が公共性を追求することと党派性を追求することは区別しなければならないと断言している。「二極のどちらでもない場所、友と敵のどちらでもない地点。それはもともとソクラテスもいた地点だと思います。でも、二〇一〇年代後半の世界を見ていると、そういう立場を目指すことがいま、実践的にとても重要になっているとも思うのです。その点では、いまほど哲学や批評が必要とされている時代はないかもしれません。それなのに、残念なことに、多くの人たちは、哲学や批評というものは友と敵どちらかの立場に立つものだと思っている。まずはそこから考えを改めてもらうべく、活動していきたいと思っています」（本書一二〇頁）。ちなみに、東のこのような考え方に早い時期から注目してきた哲学者李聖珉は、彼が（政治以前の）文化的な次元で果敢な試みをしているという意味で、彼の一連の提案を「文化的冒険」と称し、特別な価値を見出している［★16］。

★15　実はこのような問題意識は、同じく市民的規範、コミュニケーションのルール、民主主義への理解を共有していないネット上のヘイト主義者（イルベ　일베）をどう捉えればよいのかという問題へのアプローチを試みた筆者の拙著『イルベの思想　일베의 사상』にも大きな参考になった。

★16　詳しい内容は、本稿の範囲を超えるため、関心のある読者は李聖珉の『哲学する日々　철학하는 날들』を読んでほしい。

これからも出会いが続くことを願いながら

政治的な文脈で見ると、サブカルチャーの文脈を共有していない韓国の読者が東浩紀の脱政治的な実践戦略を理解するのは、簡単ではないだろう。彼の思想の個別的なテーマそれぞれに同意するか否かとはかかわりなく、そうなのではないか。韓国の場合は、少し前、大規模なキャンドル集会で大統領を弾劾に追い込むなど、社会を揺るがす大きな対立を通過した。そして、若い世代もデモやSNSで政治的な意志表示をすることに慣れている。韓国の人々は、以前から国民主権という理念に敏感に反応してきた。これは、現在の韓国と日本の間に横たわっている、相異なる政治的条件である。

しかし、キャンドル集会以後の民主主義を考える際に、私たちもやはり、東の実践的な問題意識に必ず出会うことになると思う。以前は「民主主義」という言葉で、私たちが同じイメージを思い浮かべていた時代があったが、これからはそのようなイメージさえも共有されない状況のなかで、社会的な葛藤をいかにして調整していけばよいのか、という大きな問題に直面することになるだろう。実際、「民主主義」や「主権在民」といった大きな理念では調整不可能な、新しいタイプの葛藤（代表的には若者世代内での性別葛藤）がすでに浮上している。しかし、このような問題に既成の政治制度、マスメディア、大学は適切な対応ができずにいる。このとき、私たちは「いかにしてコミュニケーションの条件を確保すればよいのか」という東浩紀の実践的問題意識と出会わざるを得ない。

韓国でも人文学は新たに到来する社会像を、説得力をもって展望できずにいる。そのため「人文学の危機」のみならず、「大学の危機」までささやかれている。日本はおそらく、このような危機意識を私たちより先に経由したことだろう。その意味で、「ゲンロン」や「ゲンロンスクール」など、アカデミズムの外で読者との出会いを試み、人文学の効用範囲を広げようとする東の実験的な実践は注目に値する。彼が言うように「すごい人が現れてほしいと言う人は多い。しかし、読者を作り上げることの重要性を理解している人は少ない。このことが人文知の衰退している理由」（本書一一三頁）かもしれない。実は、韓国でも類似の問題意識をもってさまざまな実験が試みられたものの、アカデミズムの外で、哲学的批評に関心をもつ読者層を増やすという目標に立って考えると、依然として未完成の実験だ。このような実験の持続が、韓国と日本の両国間で、さらに意義のある出会いへとつながることを願う。

日本語版刊行によせて

安天

東浩紀という批評家がいることを知ったのは今から一八年前の二〇〇二年だった。場所は韓国のちょうど中央に位置する都市、清州市の近くにある空軍士官学校で、当時の私は兵役に服していた。軍に入隊したのは二〇〇〇年。徴兵で軍人にされるのがとにかく嫌で、さしたる展望もなしに大学院の修士課程を終えるまで軍隊に行かずにズルズルねばっていた。

韓国の男性のほとんどは大学の一・二年生のときに入隊するので、大学院の修士課程まで軍隊に行かないのは相当無謀なことだったのだが、人生というものはわからないもので、思わぬ幸運に恵まれた。韓国では士官学校の教官職に人員が足りない場合は、当該分野の修士学位をもっている者が将校試験に合格すれば、その人を義務服務の間に教官職にあてる制度がある。空軍士官学校の日本語教官職がたまたま空いていたことを知った私は入隊を決め、結果的に空軍士官学校の教授部の第二外国語科に配属された。士官生徒に日本語を教える教官として兵役に服することになったのである。

二〇〇二年の一月か二月だったと思う。同じ第二外国語科のフランス語教官（この人も私と同じく職業軍人ではなく徴兵で教官をしていた）が韓国のある季刊文芸誌を私に見せながら「ここに書かれている日本の批評家、すごく面白そうだから読んでみて」と興奮気味に勧めてきた。ロラン・バルトで修士論文を書いたそのフランス語教官は映画理論を専門としていて、戦後の日本文学・批評を専攻していた私とは現代思想を共通の話題として雑談を交わすことが多かったので、彼はそこに書かれている、今まで目にしたことのない名前の若い日本の批評家について私が興味をもつに違いないと思ったのだろう。そして、それは的中した。

その文章は東氏の『存在論的、郵便的』について触れていた。直接読みたくなり、すぐに韓国のネット書店を通して日本から取り寄せ、読み始めた。東氏の文章を目にした初めての瞬間だった。そして、二〇〇二年三月には、『存在論的、郵便的』に関する要約文（韓国語）の一部を、自分が運用するブログに掲載した。

『存在論的、郵便的』が日本で刊行されたのは一九九八年だから、私は刊行から四年後にそれを読んだことになる。当時の韓国の人文学界隈では、柄谷行人が並々ならぬ注目を浴びていた。一九九七年に『日本近代文学の起源』の韓国語版が刊行されたことで韓国に知られるようになった柄谷行人は、それからさまざまな著書が翻訳されるようになり、後にはゼロ年代に韓国の人文学界隈で最も話題になった外国の思想家二人のうち一人になるにいたった（もう一人はスラヴォイ・ジジェクである）［★1］。韓国では昔から日本の本が多く翻訳されており、特に小説の読者層は厚く、日本の小説は韓国の出版界において確固たる地位を築いている［★2］。しかし、日本の思想家の本がここまで読まれたのは前代未聞のことで、柄谷行人以降、より積極的に日本の人文社会学系書籍が韓国に紹介されるようになる（柄谷行人の著作はそのほとんどが韓国語に翻訳されており、再翻訳されたものも含め、翻訳本は現在少なくとも三一冊にのぼる）。こういった動きが始まった時期に、その季刊文芸誌で柄谷行人に続く日本の若手批評家の一人として東氏を取り上げていたわけだ。では、当時の韓国の思想界が置かれていた状況を理解するために、現代の韓国における思想の軌跡を大まかに確認しておこう。

★1　これについてはゲンロン友の会（当時はコンテクチュアズ友の会）の会報『しそちず！ #7』（二〇一一年）の拙コラム「柄谷行人はいかにして韓国の知的スターになったか」で詳しく論じている。また、柄谷行人の韓国文学界隈での存在感を理解するには、二〇一九年に日本で刊行された曺泳日（ジョヨンイル）の『柄谷行人と韓国文学』（高井修訳、インスクリプト）が大変参考になる。

★2　これについては『ゲンロン2』（二〇一六年）の拙コラム「日本の本を読み続けてきた韓国」で詳しく論じている。

日本の場合、一九六〇年の安保闘争から一九六〇年代後半の全共闘を経て一九七〇年代の連合赤軍事件にいたるまでの時代を、社会運動と思想が連動していた時代、すなわち思想の影響力が強い時代だったと言うことができる。

他方、同じ一九六〇年代から七〇年代の韓国は、思想にとって暗黒の時代だった。一九五〇年から五三年にかけての朝鮮戦争により冷戦対立の抑圧的側面が最も強力に作動する国と化した韓国では、その後社会の変革を試みる考え方をもった人々は一掃され、思想は完全に根絶やしにされた。一九七一年に軍事独裁を法的に正当化する「維新憲法」が公布されてからは、形式的民主主義を要求することすら許されず、不穏視された。日本でほぼ無制限といえる思想の自由を背景に左翼の分裂と内紛が続いていた時期に、韓国では左翼自体がそもそも存在しない状況が続いていた。

大きな転換点になったのは、一九八〇年である。二〇年弱の間韓国の最高権力者として君臨していた朴正熙(パクチョンヒ)大統領が一九七九年一〇月に暗殺され、同年の一二月にクーデターを起こした全斗煥(チョンドゥファン)が新たな軍事政権(「新軍部」と呼ばれる)を樹立する。朴正熙氏が暗殺された時期の社会的な背景として、民主化を求める声が強くなっていたことが挙げられる。新軍部が権力を掌握してからは民主化を求める動きが益々強くなり、一九八〇年五月には「ソウルの春」と呼ばれる全国的な民主化運動が起きた。

これに対し、同月一八日に新軍部は軍隊を投入しての徹底的な弾圧で応じ、日本では「光州事件」と呼ばれる事態にいたる。韓国での正式名は「五一八光州民主化運動」だが単に「五一八」と呼ばれることが多く、また政治的立場などにより呼び方が複数あり、右寄りの人たちは「光州事態」、左寄りの人たちは「光州民衆抗争」「光州虐殺」などと呼んだりもする。ちなみに、この事件を描いた映画『タクシー運転手』（張薫（チャンフン）監督）は日本でも二〇一八年に公開された。

軍隊に発砲命令を出し数多くの市民を殺害した新軍部は、光州の民主化運動を北朝鮮のスパイが起こした暴動に見せかけ、事実の隠蔽を図った。実際に、この隠蔽工作はかなり効果があり、ほとんどの韓国の人たちは光州で五月にどんなことが起きたのか知らないままでいた。しかし、事実を知る人たちは少しずつ増えるようになり、特に大学生の間で真相は広まっていく。自分の国で国軍が市民に対し無差別発砲をしたことを知った八〇年代の学生たちの一部は徐々に急進化し、約三〇年間韓国社会で封印されていた左寄りの思想が自然発生的に登場することになる。映画『タクシー運転手』に描かれているような外信記者たちの取材を含む貴重な証拠が、にわかには信じがたい自国の凄絶な事実を直視するきっかけになった。この事実が広く知れ渡るようになるのは八七年の民主化実現以降である。

一九七〇年代の学生運動の衰退を経た日本では、八〇年代になるとマルクス主義はもう古いという認識が広まり、ポストモダニズムを始めとした新しい考え方が受け入れられ、ニューアカデミズム旋風が巻き起こる。他方、韓国では八〇年代になって初めて、マルクス主義が本格的な関心の対象になった。戦後、韓国と日本がたどった思想をめぐる歴史的変遷はあまりにも異なる。この大前提は何度でも強調しておきたい。

韓国では八〇年代を通じて民主化運動の勢いが増していったものの、それがただちに思想の多様性の拡張につながったわけではない。なぜなら、民主化が最優先課題という共通認識が強かったため、逆に言えば、格差・性差別・環境などをめぐる他の問題は後回しにされたのである。確かに、八〇年代になって民主化運動が広がりを見せるようになるにつれて、これらを含むさまざまな社会的な問題が議論できるようにはなった。その前の時代は社会的な問題について声を大きくして取り組むこと自体が難しかっただけに、これが大きな変化であったことは間違いない。例えば、今は歴史認識問題とされる慰安婦問題が韓国内で問題として浮上したのも、民主化運動が活発になり、それまで封じられていたさまざまな社会的・歴史的問題についての問題提起が可能になったこの時期である。しかし、あくまで最優先課題は民主化の実現であり、他の問題については発言権は与えられてはいたものの、本格的な取り組みは後回しにされた。

一九八七年六月、ついに韓国の民主化運動は実を結び、民主化という「大きな物語」が一応の大団円を迎える。この民主化の実現は、その後の韓国において全社会的な規模の「成功体験」として機能する。韓国は一度アメリカから配給された民主主義をクーデターにより失ってしまった。しかし、不当な権力に対抗して血を流しながら戦い続け、ついには民主主義を勝ち取った。この「主体的に民主化を勝ち取った体験」は、今の韓国社会のアイデンティティを構成する欠かせない要素となっている。少し異なる言葉で表現すると、民主化以前の韓国と以後の韓国は根本的に異なる、というのが韓国社会の自己認識である。

一九八七年に民主化という共通の目標が達成されると、民主化運動を担っていたさまざまな勢力は各々が重視する社会問題や未来像を掲げるようになり、運動勢力は少しずつ分裂していくようになる。民主主義とは、社会的な合意形成の方法であり、いわばコミュニケーションのプラットフォームの一種である。民主化運動は、社会的な優先事項を決めるプラットフォームとして民主主義を導入することを目指す運動であり、厳密にはどの問題を優先的に解決すべきかについては答えをもっていない。だからこそ、民主化運動は大規模な大衆運動になりえた。その意味で、民主化が実現してからは、各々が優先的に取り組む問題ごとに運動勢力が分裂していくのは避けられない。そこで、九〇年代の韓国は思想的に見て「大きな物語」の衰退と「小さな物語」の勃興を絵に描いたような展開を見せる。いわば、ポストモダニズムと親和的な社会状況になり、ミシェル・フーコー、ジル・ドゥルーズ、ジャック・デリダなどの現代思想を代表する思想家の著作が次々と翻訳された。

しかし、ポスト構造主義やポストモダニズムは西洋の自己反省を基軸とする思想である。アジアの後発国であった韓国が民主化と経済発展を成し遂げ、自らを振り返る参照項として彼らの考え方を取り入れるには、整合しない要素がいくつもあった。韓国の民主化と経済発展は西洋をモデルにしたものであるから、抽象的な方向性としてはポスト構造主義やポストモダニズムといった現代思想を理解することはできる。しかしながら、実際の歴史的な経緯は西洋の近代化とは大きく異なる。このような状態にあった九〇年代後半の韓国に紹介されたのが、柄谷行人の『日本近代文学の起源』だった。この本は、非西洋である日本の近代化を、ポスト構造主義的な視点で批判的に捉え直した著作だっただけに、「大きな物語」崩壊後の韓国において非常に有効な思想的補助線として機能した。例えば、この本が翻訳されてから、韓国近代文学における「内面の告白」「風景」「近代的エクリチュール」をテーマとした研究が登場するが、言うまでもなくこれらは柄谷が日本近代文学について論じたテーマである。ゼロ年代に柄谷行人が韓国の人文学界隈で圧倒的な支持を得るようになったのは、このような経緯からである［★3］。

東氏の『存在論的、郵便的』との出会いに話を戻そう。二〇〇二年に『存在論的、郵便的』を読んで強い印象を受けた私は、その後、兵役を終えてから少しばかり日本の青森で仕事をして、勉強をやり直すために東京のある大学の大学院に入った。久しぶりに大学院生に戻り、研究テーマ以外の本を読む時間的余裕もあったので、時間があるときは東氏の本を優先的に読んだ。個人的には学部の専攻が政治学だったこともあり、書籍として刊行されていなかった東氏の連載「情報自由論」（『中央

★3　戦後韓国の思想的変遷については『しそちず！ #8』（二〇一一年）の拙コラム「『父性』で見た韓国と日本」、および『ゲンロン1』（二〇一五年）の拙コラム「今日と同じ明日——韓国社会の新局面」でもう少し詳しく論じている。

公論』二〇〇二年七月号―二〇〇三年一〇月号）が特に面白く、大学図書館で「情報自由論」が掲載された『中央公論』をテーブルに積み上げて読み続けたのを記憶している。雑誌のバックナンバーは三巻綴りで製本し直して書庫に保管するような図書館だったので、積み上げておいて読む必要があったのである。

ところで、まったくの無名の大学院生だった私が少しずつ原稿の依頼を受けるようになったのはツイッターがきっかけだった。二〇〇九年からツイッターを始め、韓国語と日本語で自分が読んだ本などについてつぶやき、また「これは面白い」と思った他の人たちのツイートを（もとが韓国語の場合は日本語に、もとが日本語の場合は韓国語に）翻訳してリツイートしたりしていたところ、二〇一一年に韓国のある出版社からウェブマガジンに連載を書いてみないかという提案を受け、「柄谷行人と現代日本」という連載を担当することになった［★4］。

連載のテーマは自由ということで何を書いてもよかったが、当時私が取り組んでいた研究テーマが「『他者』概念の系譜――江藤淳と柄谷行人を中心に」というものだったので、一九七〇年代から九〇年代までの柄谷行人の著作を時系列に沿って読み解きながら、ときには他のテーマも取り上げることになった。そして、もとから東氏の著作に関心をもち続け、特に「情報自由論」のような議論が重要だと思っていた私は二〇一一年に東氏の『一般意志2・0』を読んで、前記のウェブマガジンの七回目の連載を全面的に『一般意志2・0』の紹介にあてた。

二〇一二年には、そのウェブマガジンの連載を読んだ韓国の他の出版社から『一般意志2・0』の韓国語版を出したいので翻訳をしてみないかという依頼を受け、韓国語版の準備段階で「せっかくだから可能であれば著者インタビューも載せたい」という話にまでなる。趣旨の説明とともに東氏にインタビューを申し込んだところ、東氏が快く引き受けてくれたおかげで、この『哲学の誤配』の前半が出来上がった。その後も東氏との縁は続き、『弱いつながり』（韓国語版は二〇一六年刊行）と『ゲンロン0 観光客の哲学』（韓国語版は二〇二〇年刊行予定）の翻訳も担当している。

『一般意志2・0』のインタビューで取り上げたのは、当然ながら二〇一一年までの東氏の著作である。二〇一一年以後の東氏の活動についてインタビューを行い、最初のインタビューの内容と合わせてひとつの書物にまとめ、彼の著作と考え方の全体像の概要を韓国の読者に紹介する――この企画を提案してくれたのは、『弱いつながり』の韓国語版を刊行した出版社ブックノマドの代表、尹棟熙（ユンドンヒ）氏である。尹

★4　そういえば、『ゲンロン』の源流である『しそちず！』の連載をスタートしたのも二〇一一年だった。

氏は、最近の私とのやり取りで、これからも積極的に東氏の思想を韓国に紹介すると意欲を見せていた。私も引き続き可能なかぎり、東氏をはじめとした日本の最近の人文系の成果を韓国に紹介する仕事に携わっていきたいと強く思っている。

今の韓国社会は、左右対立が行き過ぎ、社会的な問題に関する生産的な議論が成り立ちにくい状況になりつつある。もう何年も前から韓国で使われるようになった言葉として「陣営論理」（진영 논리）や「フレームをかぶせる」（프레임을 씌우다）という言葉がある。「陣営論理」とは相手の主張や考え方そのものではなく、相手が敵か味方かという要素だけでその相手のすべてを判断してしまうことを指す。また「フレームをかぶせる」は英語の「frame on ~」（ぬれぎぬを着せる）とも深い関係にある新しい言葉だが、英語の意味とは若干異なる使われ方をしていて、ある人について特定の思考や判断の枠（特に友敵関係に還元させる枠組み）をむりやり適用して強引に非難することを言う。

これらは世の中を敵か味方かだけを判断軸にして認識することの負の側面を言い表す言葉であり、こういった言葉が使われるのは、さまざまな事象を友敵に単純化してしまう傾向が韓国でエスカレートしているからではないか。東氏の著作は、このような状況から少し身を引いて対象を、そして自分を柔軟に捉え直す契機になる思考を提供してくれるはずで、その意味で東氏が韓国で読まれることの意義はさらに高まっている。自分の価値観や考えを研ぎ澄まし強化するためだけに思想や哲学があるのではない。今必要なのはその逆だ。思想や哲学は、既存の価値観では見えていなかった未知の対象、異質なものに光をあて、自らの殻を破るような変化を促すものでなければならない。

東氏の書籍を初めて読んだのは二〇〇二年だが、生身の東氏に初めて出会ったのは二〇一〇年くらいで、それはまったくの偶然であった。ツイッターの知り合いに「横須賀美術館の今回の企画展がすごくいいので、お子さんと是非一度行ってみてください」と勧められ、ある休日、生まれて初めて横須賀に足を運んだ。すると美術館の入り口の前にいる東氏が目に入り、咄嗟に声をかけた。私にとっては静かでありながら劇的な瞬間で、その美術館で撮った子どもの写真を見るたびに東氏との出会いも思い出す。

二〇二〇年二月一日

［初出一覧］

本書の韓国語版は左記として出版された。
아즈마 히로키・안천 『철학의 태도』、북 노마드、２０２０년
（東浩紀・安天『哲学の態度』、ブックノマド、２０２０年）

はじめに　日本語版書き下ろし

第１の対話　批評から政治思想へ
２０１２年６月11日、東京、ゲンロンオフィス
「サブカルチャー批評から『一般意志２・０』まで」、『ゲンロンエトセトラ』第４号、２０１２年

第２の対話　哲学の責務
２０１８年１月10日、東京、ゲンロンオフィス

講演　データベース的動物は政治的動物になりうるか
２０１９年11月10日、中国美術学院（南山校区）、中国杭州
『ゲンロンβ』第44－45号、２０１９－２０年

解説　東浩紀との出会い
박가분「아즈마 히로키의 사상적 모험」、『철학의 태도』、북 노마드、２０２０년

日本語版刊行によせて　日本語版書き下ろし

ゲンロン叢書｜007

哲学の誤配

発行日　二〇二〇年四月二五日　第一刷発行

著者　東浩紀

発行者　上田洋子

発行所　株式会社ゲンロン
一四一－〇〇三一　東京都品川区西五反田一－一六－六　イルモンドビル二階
電話：〇三－六四一七－九二三〇　FAX：〇三－六四一七－九二三一
info@genron.co.jp　http://genron.co.jp/

装幀・目次・扉　水戸部功
本文デザイン　LABORATORIES
組版　株式会社キャップス
印刷・製本　株式会社シナノパブリッシングプレス

ISBN 978-4-907188-37-5 C0010

小社の刊行物
2020年4月現在

ゲンロン叢書 002
新記号論
脳とメディアが出会うとき
石田英敬 東浩紀

洞窟壁画から最新の脳科学までを貫く、白熱の連続講義が待望の書籍化。テクノロジーが生活を規定する現代、人文学はどうあるべきなのか。2人の哲学者が記号論を刷新する、知的冒険の記録。 定価2800円+税

ゲンロン叢書 003
テーマパーク化する地球
東浩紀

世界がテーマパーク化する〈しかない〉時代に、人間が人間であることは可能か——震災後の47のテクストを編んだ最新評論集。哲学し、対話し、経営する。独自の実践を積み重ねてきた批評家が投げかける、新時代の知の指針。 定価2300円+税

ゲンロン叢書 004
新しい目の旅立ち
プラープダー・ユン 著 福冨渉 訳

悩めるタイ・ポストモダンのカリスマは、フィリピンの「黒魔術の島」を訪れる。そこで彼が見つけたものとは。すべての都市人に贈る、新しい目で世界と出会いなおすための、小説でも哲学でもある旅の軌跡。 定価2200円+税

ゲンロン叢書 005
新写真論
スマホと顔
大山顕

写真は人間を必要としなくなるのではないか。自撮りからドローン、顔認証から香港のデモまで。あらゆる話題を横断した果てに、工場写真の第一人者がたどり着いた、圧倒的にスリリングな人間=顔=写真論! 定価2400円+税

ゲンロン叢書 006
新対話篇
東浩紀

ソクラテスの対話をやりなおす——梅原猛、鈴木忠志、筒井康隆ら、日本の思想と文化を形作った先哲と語り、哲学と芸術の根本に立ち返る本格対談集。文化が政治に従属する時代、人文知の再起動に挑む10章。 定価2400円+税